DE ONZICHTBARE ACTEUR

fons rademakers
als twee druppels water

DE ONZICHTBARE ACTEUR

ongerijmde vertelsels van een zwerver

een autobiografie

BOEK I

door

PARI ALEXANDER SCHOOREL

Schrijver: Pari Alexander Schoorel
Coverontwerp: Manjula Schoorel - Goedhart
Coverfoto door Paul van den Bos, genomen in 1966, ter wille van de grime
van de rol van Lex Schoorel in de film *Modesty Blaise*.
Foto affiche met de schrijver: Egbert Barten

ISBN: 9789402110968
De schrijver verzoekt fotografen die niet zijn
genoemd contact met hem op te nemen.
Info: www.bravenewbooks.nl/parialexanderschoorel
www.parialexanderschoorel.com

Zachtheid, zachtheid is het woord van muziek...

Martinus Nijhoff

Muziek kan alleen ontstaan uit stilte
en moet terugkeren naar stilte.
Stilte is de bedding van de muziek –
als een rivierbedding.
De meest wezenlijke betekenis van muziek
is ons bewust te maken van deze stilte,
van stilte.
Stilte is het diepste wezen van ons bestaan,
onze bedding, als een rivierbedding.
De stilte is er altijd – ook wanneer de muziek er is.

Pari

Life is a mystery to be lived,
not a problem to be solved.

Osho

Voor mijn moeder.

Ook voor Marie-Cécile Moerdijk,
die al veertig jaar lang haar hart met mij deelt -

en voor allen die een stukje van het leven
met mij hebben meegeleefd -

voor hen die ik in dit boek noem, of niet noem -
en van wie velen mij hebben opgefleurd
met regenboogkleuren van liefde
en de opwinding van het avontuur.

Speciaal is dit boek opgedragen aan Manjula,
aan wier zijde ik al zevenentwintig jaar mag vertoeven …

Pari – zomer 2013

Verantwoording

Het manuscript *De Onzichtbare Acteur – BOEK I* werd geschreven in de zomer en de herfst van het jaar 2000.

In 2001 liet ik het aan een achttal vrienden lezen, aangezien ik behoefte had aan respons. De titel luidde toen nog *Het Krimpende Hart*. Een aantal van deze lezers deed mij de suggestie om op bepaalde momenten nader in te gaan op de achtergronden van de gebeurtenissen die ik beschreven had. Men zei dat ik wel meer van mijn persoonlijke motieven of gevoelens of inzichten m.b.t. die gebeurtenissen zou mogen onthullen. Deze raadgevingen hebben ertoe geleid dat ik het manuscript *Het Krimpende Hart* in 2002 aanzienlijk heb uitgebreid.

De gebeurtenissen in dit verhaal zijn door mij dikwijls niet in chronologische volgorde opgeschreven. Meer associatief.

Voorts treft u na ieder hoofdstuk, behalve het laatste, een (fragment van een) scene aan uit het door mij geschreven toneelstuk *De koning die niet dood kon.* Na het eerste fragment vertel ik meer over de reacties van de 'proeflezers' op deze scènes.

Sedert 2004 schrijf ik aan *BOEK II* van *De Onzichtbare Acteur.* Een aantal van de in *BOEK I* genoemde personen is opnieuw in mijn leven verschenen, er is hernieuwde waardering ontstaan voor sommige oude en nieuwere verrichtingen in mijn kunstenaarsloopbaan, ik ontmoet nog steeds kleurrijke, voor mij nieuwe mensen en ook andere gebeurtenissen, zoals de concerten met mijn muziek, zouden wellicht boeiend kunnen zijn om te delen met de lezer.

Het voor u liggende *BOEK I* heb ik gelaten zoals het in 2002 door mij werd genoteerd, zij het dat ik de titel pas kort geleden veranderde in de huidige. Hier en daar heb ik de oorspronkelijke titel in het verhaal bewust gehandhaafd. Ook zult u na vrijwel ieder hoofdstuk een paar korte voetnoten aantreffen die ik in dit jaar (2013) heb toegevoegd.

Pari Alexander Schoorel.

BOEK I

Proloog

Waarom 'een zwerver'?

Een feit is dat ik in mijn leven gemiddeld één maal per jaar ben verhuisd. Die onrust is begonnen toen de oorlog uitbrak, in Indonesië. Ik was toen drie jaar. Ik herinner me een reis in een geblindeerde trein. Mijn moeder vertelde me een tijdje geleden dat ik toen erg bang was. Waarschijnlijk waren we op weg van een kamp in Bandung naar het Tjidengkamp in Batavia.

Ik kan niet lang ergens wonen. Dat kan ik niet verklaren - het is gewoon zo. Zo ben ik vier maal, samen met Manjula, voor lange tijd in Australië geweest, het enige land waarvan ik de illusie heb dat ik er niet meer weg zou willen. Maar helaas… een permanent visum voor ons beiden bleek niet haalbaar.

Maar er is meer - niet alleen het wonen. Ik moet ook steeds mijn eigen grenzen verleggen, van mijn eigen mogelijkheden dus. Niet voor niets ben ik een paar keer van 'beroep' gewisseld.

De onrust heeft ook te maken met mijn vraag: waarom ben ik hier, waarom loop ik hier rond op deze aarde en waarmee kan ik mijzelf bezig houden zodat ik straks, aan het eind van de rit, het gevoel kan hebben dat het enige zin heeft gehad dat ik hier heb rondgelopen.

Eén van de gevolgen van mijn onrust is dat ik altijd arm ben geweest. Ik kan geen geld verzamelen en ik heb nooit veel verdiend. Ook heb ik meerdere malen alles achter me gelaten en ben met niets opnieuw begonnen.

Ik denk dat ik mezelf een 'zoeker' mag noemen.

Het is niet verwonderlijk dat ik bij Osho terecht ben gekomen.

Het citaat van Nijhoff stamt uit het gedicht *Fuguette*. Het is één van de vijf gedichten van deze dichter die ik tot op heden op muziek zette.

Over Osho vertel ik, om te beginnen, in hoofdstuk 3.

Deel I – De acteur en de oorlog

Hoofdstuk 1 – Het kind van de muze

De regisseur van *De Keuken* blies bij de repetities op een fluitje als we allemaal plotseling moesten stilstaan. Dat was een effectieve methode. Er waren steeds veel mensen op het toneel die druk door elkaar liepen rond de ovens en fornuizen (obers, koks, serveersters) en het regelen van dat verkeer in een toneelproductie moet accuraat gebeuren, want er is ondertussen altijd wel iemand die iets belangrijks te zeggen heeft, of er broeit of bloeit een relatie. En dat willen we ook graag meepikken. Ik was kok. Ik kookte minestronesoep en bakte omeletten. Ik heette geloof ik Michael (op z'n Engels).

Na de pauze moest ik, quasi dribbelend met een onzichtbare voetbal, als eerste opkomen, ondertussen een opgewonden radioverslag van een voetbalwedstrijd nabootsend. Dat vond ik vreselijk moeilijk en dat zei ik op een bepaald moment ook tegen de regisseur (John Dexter). Hij antwoordde: ach, jongen, je doet 't goed. Je bent een betere acteur dan sommige mensen die bij dit gezelschap hoofdrollen vervullen. Nou, daar schrok ik wel van. Na afloop van de repetitie vroeg hij mij zo nu en dan om mee te gaan naar zijn hotelkamer. Vaak waar anderen bij waren. Dat leek me geen goed idee en dus moest ik hem iedere keer teleurstellen. Dat vond hij niet leuk. Hij noemde mij Sexy Lexy. In die tijd was mijn voornaam Lex. Nu al lang niet meer.

In '84 kreeg ik een andere naam. Ik noem mezelf nu Pari. Veel mensen kennen mij nu alleen als Pari. Of soms (bijvoorbeeld sommige Australiërs) als Pari Alexander, mijn componistennaam. Dat klinkt wel aardig. Maar als 'oude bekenden' van theater en muziek mij liever Lex willen blijven noemen, vind ik dat prima. *That which we call a rose – by any other name would smell as sweet.* Uit *Romeo en Julia*, de balkonscène, een tekst van Julia.

Voor veel mensen was het wel vervelend, kon ik merken, die nieuwe naam. Sommige kennissen of vrienden besloten mij verder maar te negeren, want blijkbaar was ik gek geworden. Mijn moeder heeft er tien jaar over gedaan voordat zij er toe kon komen mij (zij het met enige tegenzin) Pari te noemen. Mijn schoonouders daarentegen leerden mij kennen toen ik al Pari heette, zij hebben dat probleem dus nooit gehad. Dat illustreert de absurditeit van het hele verschijnsel. Het verschijnsel dat mensen zich beledigd voelen wanneer jij uit eigen beweging besluit om voortaan met een andere naam door het leven te gaan. Ze laten tien, twintig, dertig, veertig jaar niets van zich horen, tonen geen enkele interesse in je persoon, en kom je ze toevallig weer tegen na al die jaren, dan doen ze moeilijk over een bepaalde verandering die in die tussentijd in je leven heeft plaatsgevonden. Alsof ze recht hebben op het beeld dat ze voorheen van mij kenden. Ik had in die tussentijd ook wel katholiek kunnen worden, of getrouwd kunnen zijn met een Eskimo, of een been verloren kunnen hebben. Daar kunnen ze dan ook verontwaardigd over doen...

Kort na die Sexy Lexy fase, in januari 1963, werd ik een bekende acteur. Althans, voornamelijk binnen onze landsgrenzen. Hoewel een Engelse krant, na het festival van Edinburgh, mij uitzonderlijk begaafd noemde. *Spectacularly gifted*, om precies te zijn. De film *Als Twee Druppels Water* van Fons Rademakers kwam uit. *Moedige film noir van internationale allure*, schreef de Volkskrant. Ik speelde daarin de dubbele hoofdrol. De film was opgenomen in de zomer van '62 en in het najaar helemaal nagesynchroniseerd. Dat alles heb ik gedaan voor *f*3000,-. Drie duizend gulden. Zo'n vijftig draaidagen + twintig nasynchronisatiedagen. Tegenwoordig verdien je dat bedrag binnen enkele dagen, met zo'n grote rol.

Heineken was de geldschieter. Voorwaarde die hij had gesteld was dat zijn toenmalige vriendin de rol van Marianne zou spelen. Fons moest daar blijkbaar voor zwichten. Fons maakte die rol toen wel onbelangrijker (vergeleken met het boek van Hermans), want de vriendin van Heineken was natuurlijk geen actrice. Een paar maanden na het uitkomen van de film (groot succes, lovende kritieken), besloot Heineken de film voor verdere vertoning te verbieden, omdat zijn relatie met die niet-actrice beëindigd was. Dat alles is al jaren publiek geheim, maar ik weet het pas sinds kort. Zo heeft Heineken heel wat mensen gedupeerd. En waarom in godsnaam? *# 1*

Twee Druppels heeft een paar maanden continu gedraaid in een groot aantal bioscopen in Nederland, in Frankrijk en ik meen ook in Engeland. Destijds heb ik nauwelijks stil gestaan bij de gevolgen van de boycot van Freddy Heineken voor mijn persoon. Ik had het te druk met te proberen me thuis te voelen bij het Rotterdams Toneel, hetgeen voor mij toen geen eenvoudige opgave was, met het regisseren van amateurgroepen, met het omgaan met de 'roem' en de aandacht en het verwerken van het verlies van een geliefde. Wel is het duidelijk dat er vanuit de productie van *Twee Druppels* geen enkel contact meer met mij is geweest. Bij het Rotterdams Toneel voelde ik me na het uitkomen van de film misschien nog meer een vreemde dan daarvoor.

Pas de laatste jaren ben ik mij de absurditeit van die boycot gaan beseffen, en de eventuele consequenties die het gehad kan hebben voor mijn 'carrière'. Onlangs had ik een lang gesprek op het NIOD met een jongeman die een scriptie schreef over de film *Twee Druppels*. Wij vroegen ons af of Heineken's verbod niet ongedaan gemaakt kan worden, nu hij is overleden. Ik neem aan dat de erven van Heineken geen belang hebben bij een verbod tot vertoning van de film. We zien wel, wie het initiatief neemt. *# 2*

Als Twee Druppels Water met Lex Schoorel en Van Doude. Foto: Ed van der Elsken.

Plotseling was ik dus 'beroemd' en kon niet meer ongestoord op straat lopen. Een situatie die zowel vervelend is, als zeer strelend voor je ego. Eindeloos veel interviews met kranten - ze kwamen bij mij thuis op mijn verdiepinkje aan de Bergweg. Ik had daar een mooie plattebuiskachel staan en een bed, en verder ongeveer niks.

Ik moet ook een grammofoon gehad hebben, want ik draaide platen van Doris Day en Johnny Mathis. Bij het Rotterdams Toneel verdiende ik het eerste jaar *f*350,- netto in de maand. Je werd geacht ook een smoking te bezitten, die moest je aan bij de 'nazitten'. Een nazit is een receptie na afloop van een première.

Koning Oidipus, 1962, met Max Croiset, Ton Lutz en Lex Schoorel.
Foto: K.Molkenboer.

Ik hobbelde die eerste twee jaar in ongeveer alle voorstellingen mee, meestal geheel anoniem, als figurant dus. In *Koning Oidipus* was ik een bruine jongeman met krullen en een soort rokje aan, die de blinde Theresias op het toneel de weg wees. Theresias werd gespeeld door Ton Lutz, Oidipus door Max Croiset. Om met m'n korte rokje en met Lutz op te komen moest ik een andere opdracht onderbreken: ik was bij die voorstelling ook souffleur. Dat is iemand die de tekst bijhoudt voor alle acteurs, voor het geval ze die niet meer weten. Ik zat daarbij op de plek waar dikwijls de brandwacht zit, achter de *Rampe*, de toneellijst. Koud was dat, in mijn korte rokje. Vroeger waren er souffleurshokken, dat gaf zo'n bult bij het voetlicht. Veel leuker natuurlijk. Vanuit de kelder moest je daarin kruipen, je kop stak dan net half boven de toneelvloer uit. Ben was een echte souffleur, de vriend van Ferd Sterneberg. Ben souffleerde voor de Nederlandse Comedie in Amsterdam. Meestal gewoon in het souffleurshok. Vroeger heette dat ding de pit. Heyermans schreef een leuke éénakter: *Pitten*. Dat betekent in dit geval 'leunen op de pit,' oftewel: je tekst niet kennen en geheel vertrouwen op de souffleur. Ook voetlichten en 'herzen' zijn nu uit de mode. Een 'herz' is een voetlicht in de lucht. Meestal met drie kleuren, twintig keer naast elkaar. Hartstikke mooi.

Ik moest toch dagelijks met die voorstelling de bus in naar alle hoeken van het land, dus misschien dacht Lutz (de regisseur) dat het goed was mij bezig te houden. En dat ik daar misschien ook wel wat van kon leren. Dat was ook wel zo, denk ik. Officieel mocht het niet, neem ik aan, een acteur vragen te souffleren. Overigens was het wel een aardige voorstelling, voor zover die term op z'n plaats is bij een gruwelijk verhaal als *Oidipus*. Max Croiset was erg goed in die rol.

Een aantal jaren later kwam ik terecht bij De Nieuwe Komedie in Den Haag. Wij speelden toen veel in (zeer) kleine theatertjes, ouderwets en simpel. In sommige hingen nog vaste geschilderde achterdoeken, bijvoorbeeld van een bos. Prachtig. De akoestiek van die kleine zaaltjes was altijd perfect, ook voor muziek. Gewoon model schoenendoos, vaak tegelijk bioscoop. Of de zaal achter een kroeg. Er zullen er niet veel meer bestaan, vrees ik.

Begin '63 werd ik dus een bekende acteur. Ik kan me niet herinneren dat één van mijn collega's ooit iets (laat staan iets aardigs) heeft gezegd over mijn rol(len) in *Twee Druppels*... Mijn verdienste voor de Nederlandse film maakte het werk dat ik bij het Rotterdams Toneel te doen kreeg niet interessanter. Daar bleef ik gewoon de figurant.

Na de toneelschool moest ik eerst twee jaar in militaire dienst. Wellicht kwam het ook daardoor dat ik me bij het toneel een vreemde voelde, vooral de eerste vier jaar. Veel later ben ik gaan begrijpen dat mijn kinderjaren in de oorlog in Nederlands Indië een grote wond hebben achtergelaten, om het zo maar te noemen, die mijn hele verdere leven heeft bemoeilijkt. Ik heb nooit ergens 'bij gehoord', ik bleef altijd een vreemde of zo u wilt een buitenbeentje.

Met Ton Lutz had ik al afgesproken dat ik na mijn diensttijd bij het Rotterdams Toneel zou komen. Op mijn verzoek draaide ik ook mee in een voorstelling in het Holland Festival, in de zomer van 1961, van De Kaukasische Krijtkring van Brecht, als een soldaat geloof ik, in regie van Richard Flink.

Ik had niet echt vrienden onder m'n collega's, was waarschijnlijk ook tamelijk gesloten. Ik ging graag om met het technisch personeel, de inspiciënten. Met de acteur Hans Pauwels trok ik wel op, een beetje. Later ook bij Theater in Arnhem. Hij kon leuk zingen. Had platen van jazz zangers die geheel nieuw voor mij waren. Hans was ook een soort 'outsider.' Soort zoekt soort. Hij kwam een jaar eerder dan ik bij het Rotterdams Toneel en speelde daar al één van de boeven in de musical *Irma la Douce*. Met Lia Dorana. Een echte succesvoorstelling. Toen ik kwam was dat m'n eerste klus: een rol opnemen in *Irma la Douce*. Wist ik veel. Ik was ontzettend onder de indruk van wat iedereen kon, liedjes en pasjes en zo. Moest ik mezelf schminken. Had ik nog nooit gedaan.

Direct in 't eerste jaar ben ik ook gaan regisseren. Pleuni Touw, die twee klassen lager zat op de Arnhemse toneelschool en die ook bij het Rotterdams Toneel terecht was gekomen, gaf een regie aan mij door, op een school. Een Frans stuk, *Jeugd*, van Puget. Heel leuk gespeeld door drie meiden en drie leraren, onder wie de tekenleraar,

Eric Fabery de Jonge. Hij werd een vriend van me. Kwam een jaar later om ‘t leven bij een auto-ongeluk. Een christelijke M.M.S. Die bestonden toen nog, de middelbare meisjesscholen. Eén van de drie meiden is later getrouwd met John Lanting, die trouwens in die jaren ook nog bij het Rotterdams Toneel speelde. Maar toen kenden zij elkaar nog niet. ‘t Werd een schitterende voorstelling. Mijn moeder praat er nu nog wel es over. Twee volle avonden in Schouwburg Zuid.

Ook twee volle avonden met vier éénakters, met een school uit Rotterdam Zuid. Ik had ze zelf vertaald, uit ’t Frans en Engels. Eén ervan was *Hello out there* van Saroyan. Daarin speelde een nogal schuchter meisje een hoofdrol. Na afloop kwamen de ouders van het meisje naar me toe. Ze was zo veranderd, zeiden ze. De repetities hadden haar erg goed gedaan. Daar was ik blij om. ‘t Is een groot stuk van je leven, iedere keer, iedere regie. De vriend van Ad Hoeymans was gymnastiekleraar op die school. Hij organiseerde het jaarlijkse toneelgebeuren. Waar speelde Ad toen? Ik zou het niet weten. Ad was een collega-acteur en een erg aardige jongen. Hij en ik zaten in dezelfde klas op de toneelschool.

Tijdens de jaren waarin ik veel regisseerde (zeker ook eind jaren ’70, in Hilversum), had ik altijd het gevoel dat *dat* het meest bij mij paste: regisseren. Ik had daar een aangeboren aanleg voor, vond ik zelf. Ik had het gevoel dat ik daarmee het meest van mezelf kwijt kon. En ik vond het fijn op die manier te werken met mensen.

In dat eerste jaar speelden Jacques Commandeur en Ina van der Molen er ook, bij het Rotterdams Toneel. Jacques speelde een paar jaar geleden die uitstekende rol in de tv-serie *Wij, Alexander*. Een slome serie, maar vooral gered door zijn acteerprestatie.

Met Ina van der Molen lag ik in de veren op het bed van oom Frans in *Twee Druppels*. Een lief mens, zonder kapsones. We zagen elkaar ook in één scène in *Een Man van Alle Tijden* (Thomas More), in regie van Pim Dikkers. En een paar jaar later waren wij de gelieven in een televisie-uitvoering van een stuk van Jean Anouilh, met Kees Brusse als haar vader.

Ina van der Molen en Lex Schoorel in Als Twee Druppels Water. Foto: Ed van der Elsken.

Ik stond vrij vaak in een regie van Ton Lutz, bijna altijd met kruimelwerk (behalve Eros in *Antonius en Cleopatra*). Lutz en ik wisten nooit wat we tegen elkaar moesten zeggen. Ik vond hem wel een echte regisseur, vooral vanwege z'n *mise en scènes*. En hij had een soort respect voor mij. Twintig jaar nadat ik voor het laatst met hem had gewerkt kwamen we elkaar tegen in de Marnixstraat in Amsterdam. Hij sprak me aan en vroeg wat ik al die jaren had gedaan. Dat hij me nog herkende was al verbazingwekkend, maar hij was ook geïnteresseerd...

Ik werd dus 'beroemd' en raakte in een diep dal. Ik was erg somber en vond alles griezelig. Vooral alles wat met het theater te maken had.

Greetje heette ze. De kleedster van het Rotterdams Toneel. Aan haar heb ik veel te danken. Ze woonde samen met de chauffeur van de bus, Willem geloof ik. Bijna iedere avond gingen we met ons drieën, na de voorstelling, naar haar huis. Zij maakte dan witte boterhammetjes met kaas en daarbij dronken wij witte vermout. Met ons drieën verlichtten wij de eenzaamheid. Misschien vooral mijn eenzaamheid. En spraken wij over alles wat er bij het gezelschap aan de hand was.

En over wat er met mij aan de hand was. Greetje. Wat had ik gemoeten zonder Greetje... Greetje zou ik nog wel eens willen ontmoeten, als ze nog leeft.

De hele directie van Theater uit Arnhem nam het tweede jaar het Rotterdams Toneel over. Lutz moest blijkbaar weg, of wilde weg. Toen heette het gezelschap: het Nieuw Rotterdams Toneel. Rob de Vries en Richard Flink. En Coen Flink kwam mee. En Aart Staartjes, die even piepjong was als ik. Aart was altijd in de buurt van Richard Flink te vinden. Hij kreeg dus de rollen. Voor de regisseur Richard Flink bestond ik niet.

Karin Haage en Lex Schoorel in de tv-serie Vrouwtje Bezemsteel.

Gelukkig vroeg Bram van Erkel mij bij zijn eerste televisieregie voor mijn eerste grote rol in een jeugdserie voor de TV: *Vrouwtje Bezemsteel.* De titelrol werd aanvankelijk gespeeld door Karin Haage, later door Riet Wieland. Mijn rol heette Sam Pardoes. Die serie heeft drie jaar gelopen, was dus een succes. Er zijn nog mensen die zich de serie herinneren. Er zijn zelfs mensen die mij er van herkennen, bijna veertig jaar na dato, ondanks rimpels en baard. Piet Bijlholt, van het filmhuis in Hilversum, wist zich onlangs zelfs de begintune van de serie te herinneren! De opnames zijn niet bewaard gebleven. De ampexbanden die toen gebruikt werden, werden na afloop gewist en opnieuw gebruikt. Vreselijk jammer.

De Nederlandse Comedie vroeg mij daar te komen spelen. In Amsterdam dus. Ze hadden me nodig voor Barend, in *Op Hoop van Zegen*, en Eros. Verder heb ik daar alleen gefigureerd.

Herman van Elteren speelde er ook. Hij zat een klas lager op de toneelschool, alhoewel hij ruim tien jaar ouder is dan ik. Herman kan erg veel. Hij speelde goede rollen (o.a. in de *Gijsbrecht*) maar is bekender als kostuum- en decorontwerper. Hij heeft veel stukken erg mooi aangekleed. Er zou es een boek moeten verschijnen met zijn ontwerpen.

Ik verhuisde dus naar Amsterdam. Zomer 1963. Een achterkamertje aan de Sarphatistraat. Samen met Maélys, mijn Rotterdamse vriendin die bij het Nationale Ballet terechtkwam en met wie ik trouwde op oudjaar, de TV erbij... Maélys bulkte van het talent. Ze had de zangstem van Barbara Streisand en zag er minstens zo leuk uit. Ze was leuk gek. Soms schreef ze gedichten in een taal die leek op Frans maar het niet was. En ze kon dus ook nog dansen. Ze was geboren in de oorlog. Haar moeder had in Den Haag tegen de schuddende muur van een huis gestaan toen die stad om haar heen werd gebombardeerd (door de Engelsen, meen ik), hoog zwanger van Maélys.

Ondanks m'n inmiddels 25 jaar was ik volstrekt groen. Gelukkig konden we een paar maanden bij Herman van Elteren terecht aan het Singel. Daar is onze zoon verwekt. Voorbehoedmiddelen? Ja, wel es van gehoord.

Behalve Ad Hoeymans waren ook Jacky Horn en Else Valk klasgenoten op de toneelschool. Ad en ik hadden ieder een kamer in de Cronjéstraat vlak achter de Willemspoort. Hij aan de voorkant. Met een gigantisch rond balkon. Als er iemand langs kwam werd er geschreeuwd van beneden en dan gooide hij de sleutel omlaag. Meestal was het Carola.

Carola Gijsbers van Wijk, afkomstig uit Arnhem, toen al met een kind. Een schat, Carola. Ze zat een klas lager, maar ze speelde mee in ons eindexamen, want we hadden niet genoeg vrouwen. Zij was mijn eerste toneelgeliefde. In *Romeo en Jeannette*, van Anouilh. In regie van Ferd Sterneberg. Ferd nam dan een rieten stoel en ging midden voor het speelvlak zitten en kwam er niet meer vandaan. Hij was toen al zeer gezet. Ferd leerde ons het Franse theater kennen, Anouilh, Racine, Camus. Hij had daar een enorme affiniteit mee. Vertaalde de stukken zelf - en erg goed.

Carola kwam dan boven en dan dronken we denk ik thee. Op z'n hoogst - zij en Ad - een pilsje. We waren zeer onschuldig.

Carola heb ik vorig jaar, in 2001, weer eens ontmoet. Bij haar thuis in Amsterdam. Eigenlijk is ze nog geen spat veranderd. Nog steeds lief en erg druk. Ad heb ik even aan de telefoon gehad. Hij leeft dus nog. Hij praatte en bleef maar praten. Wat een eenzaamheid, aan de andere kant van de lijn. Hij lijkt zich vast te willen houden in een wereld waar ik mij al erg lang niet meer betrokken bij voel. Verhalen over een toneelstuk van Anouilh - en ineens herinnerde ik me diezelfde verhalen van veertig jaar geleden... Toen ik over mijn muziek begon, haakte hij af. Ik weet niet of het één van ons tweeën zou helpen of goed zou doen wanneer ik hem zou opzoeken. Als hij dat al wil. Ook heb ik hem dit boek nog niet toegestuurd, maar dat ga ik misschien nog wel doen. Misschien... *# 3*

Ook Herman heb ik opgezocht bij hem thuis in Monnickendam. Hij is nog altijd vrolijk en levenslustig. En hij werkt nog steeds.

Halverwege het tweede toneelschooljaar kwam ik pas in de Cronjéstraat te wonen. Daarvoor woonde ik op een viertal kamers en was ongelukkig, behalve tijdens de lessen op school. De eerste kamer was bij een gezin op de Hoogkamp. Er werd daar ook voor mij gekookt. Vreselijk. Ik heb misschien één keer samen met pa, ma en de twee zoons aan tafel gezeten – toen had ik 't wel bekeken. De oudste zoon had al een stuk of vijf internaten achter de rug; toch was hij pas veertien. De pa werkte als administrateur in het leger. Er was altijd ruzie en spanning in dat huis. Ik zorgde er voor dat ik er alleen maar sliep. Na een maand ben ik er weggegaan, natuurlijk. Toevallig las ik een aantal jaren later in de krant dat pa de boel voor tonnen had opgelicht en 't geld in z'n eigen zak gestoken had. Hoe zocht ik zo'n adres uit?

De tweede kamer was een achterkamertje in de Bouriciusstraat. Marjan Burger wist dat die nog leeg stond. Misschien woonde zij zelf ook in dat huis. Marjan was een grappig mens, maar ze moest na een jaar van school af. Of misschien wou ze dat zelf. Ze trouwde met een beeldend kunstenaar, geloof ik. Ik sliep er op een veldbed, zo'n ding dat je kunt opklappen, uit het leger. Mijn vader had dat nog. Het was winter en erg koud. De kamer had geen verwarming. De bloemen stonden op de ruit. Iedere ochtend. Ik verzon een komische *clowns-act* die niemand verder ooit heeft kunnen bewonderen. In m'n volgende kamer (aan de Apeldoornseweg) maakte ik zwaarmoedige tekeningen en overwoog een eind aan mijn leven te maken.

Zelfportret, 18 jaar.

'S Nachts ging ik vaak hardlopen, helemaal om Arnhem heen, maar dat was al weer vanuit m'n vierde kamer, boven de bakker, aan de Steenstraat. Als kind liep ik al hard, maar toen in de bossen, bij Wageningen-Hoog, waar wij woonden. Hoe had ik kunnen overleven zonder dat hardlopen? Vanaf de Cronjéstraat werd ik rustiger. Het was m'n redding dat ik daar terecht kwam. De hospita kookte voor ons. Ik had anderhalf jaar niet goed gegeten...

Eigenlijk was de toneelschooltijd zo'n schitterende ervaring. Het is zo jammer om een deel daarvan te verdoen met somberheid.

Tijdens de tweede klas van de HBS vertrok m'n enige vriend met zijn pa en ma naar Canada. Hans van de Bovenkamp. Sedert dien was ik altijd alleen. Toen ik 13 was besloot ik nooit meer naar de kerk te gaan en om in plaats daarvan veel hard te lopen in het bos.

In de kerk had ik het benauwd. Ik vond het een rare ervaring, iedere zondag opnieuw, die verplichte sessie op de harde banken. Ik keek altijd naar de hoedjes van de dames voor me en ik probeerde ze te onthouden, om ze later te kunnen tekenen. En dan was er nog die meneer die onbegrijpelijke dingen verkondigde op de kansel. En als ik ze al begreep wist ik dat ik het niet met hem eens was. Buiten, hardlopend in het bos was mijn tijd daarentegen erg goed besteed. Ik voelde me sterk, ik rende en zweette een groot deel van mijn puberfrustraties van me af, ik genoot van de geur van de aarde en van het groen, in alle seizoenen weer anders, en als er al een God bestond wist ik dat hij daar in het bos dichter bij me was dan in die grote koude ruimte, met het dreinende orgel dat de dreinende massa in gezangen trachtte voort te slepen.

Bovendien had ik ongevraagd de tol op me genomen om als vergoeding voor het weg blijven uit de kerk het huis op zondag-ochtend te reinigen. Mijn moeder vond dat wel een aardige deal, zo leek het.

Met Hans van de Bovenkamp zat ik op de Christelijke Voetbal-club SKV. Sport Kweekt Vriendschap, jawel. We speelden in een heuse competitie, op zaterdag, en we verloren bijna altijd. Hans was mager maar kon goed verdedigen. Ook speelden wij samen veel bad-minton, op het grasveldje opzij van ons huis, met een touw tussen de bomen gespannen. Ik was goed in badminton.

Op de lagere school, of liever, na schooltijd, op de Hoogkamp, in Arnhem, waar wij woonden, voetbalde ik ook altijd met vriendjes. Er waren toen op de Hoogkamp nog veldjes die inmiddels allang zijn volgebouwd. Abe Lenstra was toen beroemd en Faas Wilkes en keeper De Munck, de zwarte panter... Er was alleen nog radio. De TV kwam, aarzelend, een jaar of zeven later.

Ad was een prettige collega op de toneelschool. Blijkbaar begrepen wij elkaars behoefte aan rust. Ik denk dat hij geen kroeg-ganger was, net zo min als ik. Met Jacky Horn had ik buiten de school om geen enkel contact. Hoewel - Jacky leerde me Franse chansons kennen: Mouloudji, George Brassens... Ik geloof dat Else al een vaste vriend had.

Wij waren de eerste klas van de nieuwe Arnhemse Toneel-school. Binne Groenier, de directeur, had het gebouw aan het Roer-mondsplein in de zomer, samen met zijn vriendin Mary, van binnen helemaal geverfd, in schitterende pasteltinten. Uiterst liefdevol.

'‘t Was een prachtig pand. Zo'n oud herenhuis. We waren met 17 of 18 leerlingen, tot aan de kerst. Toen moesten we daar weg (werd het gebouw gesloopt voor de nieuwe brug?) en werden we dolende. De theorielessen vonden toen plaats bij Binne thuis (Peter van de Haar zat nog op school, met hem zong ik geïmproviseerde opera-aria's, hij is modeontwerper geworden) en de spellessen in het inmiddels ook al lang gesloopte restaurant PAX, bij het Velperplein. Annie de Lange, onze speldocente, was in verwachting en werd vervangen door Frans van der Lingen. Tijdens zijn 'elementaire spellessen' heb ik, in PAX, heel wat heftige scènes gespeeld. Tijgers ontsnapten uit kooien, ik sprong op tafels om niet verscheurd te worden en de wandlampjes van PAX werden van de wand gemept op het toppunt van paniek. Bij Frans kon ik alles. In mijn overgangsrapport schreef hij: die jongen heeft een ongebreidelde fantasie. Later kwam Annie de Lange terug. Ze was een goede docente. Ik geloof dat ze onze klas de hele periode van drie jaar heeft les gegeven. Bij haar kon je je op je gemak voelen, je hoefde niet bang te zijn. Ze leerde je het vak, simpelweg. Dat kan dus ook. 't Is niet alleen maar talent en inspiratie – 't is ook een vak.

Als toneelschoolleerlingen hadden wij gratis toegang tot theatervoorstellingen in de Arnhemse schouwburg. Veel voorstel-lingen maakten een enorme indruk op me, zoals de stukken van O'Neill, gespeeld door de Haagse Comedie en door Theater, en *De Entertainer* van Osborne en *Wachten op Godot* van Beckett, met Bernard Droog, Jopie Walhain, Richard Flink en Gerard Hartkamp. Een onvergetelijke voorstelling. Frans van der Lingen was bezig met de repetities van *Tocht naar het Duister*, in de tijd dat hij ons les gaf.

Hij vond het een prachtig stuk, maar ze moesten er een beetje in schrappen, ’t was te lang. Dat was dus eigenlijk onmogelijk – geen zin was misbaar. Ook zagen we veel films, gratis, met ‘echte’ filmacteurs die mijn helden werden, zoals Marlon Brando en James Dean. *# 4*

Ik denk dat ‘t voorjaar was toen we in de Parkstraat terecht kwamen. Een prachtig oud gebouw, ook helemaal opgeknapt voor de toneelschool. Een grote vierkante speelzolder. De school heeft daar nog lang gezeten, is daarna verhuisd en toen kwam de dramadocenten - opleiding in ‘t gebouw aan de Parkstraat.

Lies was secretaresse in de Parkstraat, later directrice in ’t andere gebouw. Een jaar of twaalf geleden, rond 1988 dus, ben ik daar een paar maal geweest en heb mezelf als docent aangeboden. Dat wou ze niet. Ook wilde ik, samen met Manjula, een nieuwe theatergroep voor de jeugd beginnen, in Arnhem. Had ik de steun van Lies gevraagd, voor die onderneming? Ik denk ‘t wel.

Jacky Horn was de ster van onze klas. Voor mijn gevoel draaide ons eindexamen zo’n beetje om hem. Misschien was hij van ons vieren wel het meest acteur. Else en Ad en ik waren alle drie nogal stille figuren. *# 5*

De scènes die ik me het meest herinner van ons eindexamen zijn uit *De Spaanschen Brabander* van Bredero (Ad en ik), *Romeo en Jeannette* van Anouilh (Ad, Else en ik) en *Mooney’s jongen huilt niet* van Tennesse Williams (Else en ik).

Ter gelegenheid van onze overgang van klas twee naar klas drie hadden we een feest. Ik geloof dat daarbij ook leerlingen van de Amsterdamse Toneelschool aanwezig waren. Voor mij kwamen die van een andere planeet. Lang voor het einde van het feest ben ik afgetaaid met een meisje dat daar ook aanwezig was en die ik voordien nog niet kende. Hoe ze daar kwam weet ik niet – ze had niets met de toneelschool te maken. Blijkbaar vonden we elkaar leuk. Ze was de dochter van een notabele Arnhemmer. Het was zomer. We liepen naar Sonsbeek en hebben zo’n beetje de hele nacht door dat park gewandeld, misschien hand in hand en ongetwijfeld pratende. Toen het licht werd ben ik meegelopen naar haar huis. Daarna zagen we elkaar nooit meer. Ik was een aarzelende minnaar.

Ad Hoeymans en Lex Schoorel in De Spaanschen Brabander.

Onlangs zag ik delen van de oude jeugdserie *Floris*. Daarin speelde Jacky ook een rolletje, als een soort nar. En Ad was een boze boef met een zwarte baard! Leuk om al die 'oude' collega's weer te zien. 't Is een aardige serie. Ik vond dat ik de rol van Roland goed speelde. Jacky speelt de nar zoals hij ook z'n rollen op de toneelschool speelde, met veel kracht en gespannenheid. Carola heeft Jacky nog wel eens gesproken, vertelde ze. Ik meen dat hij is gaan schilderen.

Ad is vooral gaan regisseren en hij deed wel eens wat voor de radio. Een jaar of 20 geleden kwam ik hem een keer tegen op straat in Hilversum, vlak bij de NCRV studio. Hij was een beetje dik geworden. Vroeger was hij atletisch, liep de 100 meter in 11 seconden of zoiets... Hij en ik waren dol op sport, op de toneelschool. Jacky Horn had daar een hekel aan, kwam niet of te laat op de schermlessen. Ad kon ook goed handballen. In de gymzaal van 't gebouw waar nu het conservatorium zit, in Arnhem. Een oude gymnastiekleraar. We hadden veel oude leraren, vooral voor de theorievakken. Gepensioneerde taaldocenten en een pater. Voor kunstgeschiedenis juffrouw Joosten, de conservatrice van het Kröller-Müller museum. Zij deelde met ons haar enthousiasme over de Franse impressionisten, de kubisten en de Engelse beeldhouwer Henri Moore.

Voor bewegingsleer hadden we Loekie van Oven. Zij was balletdanseres geweest maar moest daar vroegtijdig mee stoppen. Een geweldig mens. Zij legde de link naar de spelles. Ze was een vriendin van Audry Hepburn. Gewoon 'aan de bar' bij haar, dus! En in de diagonaal je been opgooien. Ik kon dat erg makkelijk, ik was lenig als een elastiek. Binne Groenier kwam wel es kijken en lag dan in een deuk.

Toen ik over ging naar klas twee zei Binne: ik weet niet of je een acteur bent, maar je bent zeker een kind van de muze. Zoiets vergeet je dus niet.

Jacky, Ad, Else, Lex – eerste lichting toneelschool Arnhem, vlak na het eindexamen, 1959.

De nieuwe lichtingen... Herman van Elteren, Carola, Kitty Courbois, Cocky Boonstra, Pleuni Touw, John van de Rest (later tv-regisseur), Liesbeth Struppert, Frans Weisz (later filmregisseur).

Met Kitty speelde ik in Armoede, onder John van de Rest vervulde ik een paar rolletjes in tv-producties (o.a. in *De Twaalf Gezworenen*) en ooit speelde ik mee in een film van Frans Weisz, ik geloof in *Jongens, jongens, wat een meid!*

Een andere collega die een paar klassen lager op de toneelschool zat, kwam ik in 1988 tegen bij Theater aan de Rijn in Arnhem. Hij had daar iets belangrijks te doen. Hij zag me staan bij de kassa, waar ik een kaartje kocht. We hadden elkaar tientallen jaren niet gezien. Ik had m'n mooie rode baard laten staan in die jaren. Die baard was een centimeter of vijf lang. Daar kon je niet aan voorbij kijken. Blijkbaar kon hij deze metamorfose niet verkroppen. Twee seconden keek hij me verbijsterd aan en toen uitte hij de kernachtige kreet: 'Walgelijk!', draaide zich om en liep weg.

Acteurs zijn dikwijls best aardig, op een oppervlakkige manier. Maar eigenlijk interesseren ze zich alleen voor zichzelf. Een acteur kan je hartelijk begroeten, zelfs omhelzen, maar ondertussen kijkt hij over je schouder om zich heen of er op dat moment niet iemand anders is die zijn hartelijkheid meer verdient dan jij, die belangrijker is dan jij en van wie hij meer profijt te verwachten heeft. Als dat zo is besta je van de ene op de andere seconde niet meer.

Ik heb me daarover verbaasd sedert ik aan het toneel kwam. Misschien was ik wel nooit een echte acteur, ook al heb ik veel goede rollen gespeeld. De rol van acteur lag me niet zo goed. Ramses Shaffy zei ooit tegen me, als zijn visie op mijn stroeve acteurscarrière: je moet wat vaker de hoer kunnen uithangen. Tja. Misschien was ik daar niet zo goed in.

1 Zie het verslag van de uitzending van Andere Tijden over *Twee Druppels* en de boycot van Heineken, oktober 2012, in *Boek II.*

2 *Boek II* behelst o.a. een hoofdstuk dat geheel gewijd is aan de film *Als Twee Druppels Water.*

3 Ad Hoeymans is inmiddels overleden, op 22 maart 2011.

4 In de zomer van 2004 (dus 48 jaar later...) noemde Ivo Niehe mij, in zijn portret over de acteur Lex Schoorel, in één adem met James Dean, n.a.v. mijn eerste grote filmrol...

5 Else Valk heb ik rond het jaar 2003 nog een paar keer ontmoet: in het *Arnhems Museum*, waar zij een tentoonstelling met werken van haar vader opende, maar ook in het etablissement *De Generaal* in Baarn.

Ad Hoeymans, Herman van Elteren, Diana Dobbelman, Lex Schoorel en Mary Wagenaar bij de voorbereidingen van alweer een nieuwe vrije productie. Foto: Sonja Geerlings.

DE KONING DIE NIET DOOD KON

Eerste acte - scène 5

Vrijdagmorgen.

Siem en Ada zitten op de bok van het koetsje. Siem ment. Ze zijn op weg naar het kasteel.

(Ze zwijgen even)

Ada: Ga je nooit met de auto?
Siem: Ik heb geen auto.
Ada: Waarom niet?
Siem: Heb ik niet nodig.
Ada: Doe je alles met paard en wagen?
Siem: Ja.
Ada: Is ook veel leuker. Zo zie je veel meer. *(kleine stilte)* Mooi is 't hier. *(kleine stilte)*
Siem: Vind je 't eng?
Ada: Ja. Wel een beetje.
Siem: Hoe wil je binnenkomen?
Ada: Nou, gewoon, als er iemand opendoet, meteen naar binnen glippen... en dan zie ik wel. De eerste de beste trap op of zo... *(Ze giechelt een beetje zenuwachtig.)*
Siem: Als 't niet lukt?
Ada: Kom ik terug naar je boerderij. Probeer ik 't een andere keer weer. Kan ik nog een keer bij jou logeren als 't nodig is?
Siem: Natuurlijk. *(kleine stilte)* En als 't wel lukt?
Ada: Ik weet niet. Ik zie wel. Misschien kom ik er wel nooit meer uit. *(Ze giechelt een beetje zenuwachtig.)* Misschien zijn ze wel heel erg aardig, daarbinnen.
Siem: Ze zeggen van wel.
Ada: En toch mag er niemand naar binnen?
Siem: Nee. *(kleine stilte)*
Ada: Zullen we iets afspreken?
Siem: Hoe bedoel je?
Ada: Nou, als 't misgaat, kom je me dan bevrijden?
Siem: Ik weet wel wat. Er is een tuin, achter het kasteel. Ik weet hoe

ik daar in kan komen, zonder dat ze me zien. In de tuin is een tuinhuisje, op een soort heuvel. Volgens mij komen ze daar nooit. Als je vanavond nog niet terug bent, kom ik morgenmiddag naar het tuinhuis. Laten we zeggen om drie uur. Doen ze vast allemaal een middagdutje. Zullen we dat afspreken?

Ada *(kijkt erg lief naar Siem)*: Goed.

Siem: En als je dan meteen mee wilt, als je d'r genoeg van hebt, ga je weer met me mee.

Ada: Goed.

(Ze denkt even na en zucht dan, omdat ze opgelucht is dat ze in principe een ontsnappingsmogelijkheid heeft; en omdat ze best een aardige vriend heeft gevonden.)

Einde I - 5

Nawoord bij hoofdstuk 1

Om te beginnen: ik ben van mening dat de scènes uit *De Koning* minstens even veel over mij zeggen als de rest van de tekst in dit boek. Slechts weinigen zullen zich dat beseffen, zo heb ik ondervonden.

Ik liet *Het Krimpende Hart* (in de eerste versie) aan een achttal vrienden lezen, zoals ik vertelde in de *Verantwoording*, omdat ik behoefte had aan commentaar. Van die acht was er één die na afloop iets zei over de toneelscènes. De zeven anderen leken nauwelijks opgemerkt te hebben dat die scènes deel uitmaken van het boek. Of ze raakten niet doordrongen van de waarde van de scènes en vonden ze niet belangrijk genoeg om te onthouden. Die ene andere proeflezer vond de fragmenten uit *De Koning* zelfs het beste en belangrijkste van het boek... Hij zei letterlijk: het is een prachtig stuk - je *moet* het gespeeld zien te krijgen. Aangezien ik zijn oordeel over theaterstukken zeer waardeer (hij is behalve een vriend een bekende theaterman), was ik natuurlijk erg blij met die reactie.

Ik heb het stuk laten lezen aan een producent van 'vrije producties' en aan de dramaturg van een gesubsidieerd theatergezelschap. Beiden zagen geen kans er iets mee te doen en beiden waren (zo kreeg ik het gevoel) niet echt overtuigd van de kwaliteiten van het stuk. De vrije producent kon zich in zijn antwoord bedienen van het gemakkelijke en voor de hand liggende argument dat het stuk voor hem te groot bezet is en te ingewikkeld van decor. Dat is inderdaad een gegeven. Ik weet dat bijna alle 'vrije producties' tegenwoordig klein bezet zijn. Maar er zijn natuurlijk uitzonderingen.

De dramaturg van het gesubsidieerde gezelschap bracht een aantal andere argumenten naar voren die ik me echt niet herinner, maar waar ik het niet mee eens was. Zeker is dat hij het stuk niet modern genoeg vond. Wat dat dan ook is...

Ook lag het manuscript bij een dramaturge van een van de omroepen, die het na vier maanden en na herhaaldelijk navragen van mijn kant ongelezen terugzond met de mededeling dat geen enkele omroep geld heeft voor een productie zoals ik die op het oog had. Ik ben namelijk van mening dat het stuk erg goed bewerkt zou kunnen worden tot een bijvoorbeeld zesdelige serie voor de wat oudere jeugd (en voor volwassenen). Met die intentie zond ik het al jaren geleden in de mooie Engelse vertaling naar de BBC en naar de ABC (Australië). Uit Australië ontving ik een complimenteuze brief over de kwaliteiten van het stuk, 'maar helaas, het was geen onderwerp voor hun publiek'. Ook had ik contact met de Noorse schrijfster en regisseuse Torun Lian (van de prachtige film *Only clouds move the stars*). Zij leek mij de ideale persoon om *De Koning* te verfilmen. Maar zij had het te druk, schreef ze mij terug...

Zo leur je wat af met je geesteskinderen.

In januari dit jaar ontving ik onverwacht een alleraardigste brief van Lex van Delden, de Nederlandse acteur die al meer dan twintig jaar in Londen woont. Hij had *Twee Druppels* kort daarvoor weer gezien in het filmmuseum en hij schreef mij dat hij mijn acteerprestatie in die film de beste vindt die ooit in Nederland op celluloid is vastgelegd. Sedert die brief hebben wij zo nu en dan schriftelijk contact. Ik stuurde hem ook de Engelse vertaling van *De Koning*. Wij hopen dat het stuk alsnog zijn weg vindt naar de BBC of een andere Engelse omroep, via de connecties van Lex van Delden. Hij is van mening dat het stuk wel degelijk geschikt zou zijn bewerkt te worden tot een tv-serie. ***# 6***

 # 6 *De acteur Lex van Delden is op 6 oktober 2010 overleden.*

Hoofdstuk 2 - Braaf

1941. Lex en Ineke Schoorel, bijna drie en bijna vier jaar oud, in Buitenzorg, Indië, een half jaar voordat ook daar de oorlog uitbrak.

Ik ben veel ziek geweest. Soms jaren achtereen. Rond 1979 ben ik een jaar lang vrijwel niet buiten geweest, ik kon geen ontmoeting of gesprek hebben met mensen. Ik had een veelheid aan fysieke klachten, bezocht alle mogelijke specialisten - men kon niets vinden.

In 1991 besloten verschillende doctoren die daarover moesten oordelen dat mijn ziekteverschijnselen, in verschillende periodes van mijn leven, een gevolg zijn van de tijd die ik als kind in de jappenkampen doorbracht in Indonesië, en de jaren direct na de oorlog, die voor Nederlanders zo mogelijk nog gevaarlijker waren, de zgn. *bersiap* periode. Op grond van die conclusie geniet ik sedertdien van een uitkering als oorlogsslachtoffer, en dat is een zegen, dat kan ik u verzekeren. Ik heb jarenlang moeten leven van een uitkering van de Sociale Dienst, tussen mijn engagementen bij het theater en de NOS door. Nu hoef ik geen briefje meer in te leveren.

Tot voor kort dacht ik dat ik de dans aardig ontsprongen was. Ik wist dat veel van mijn leeftijdgenoten die in de jappenkampen hebben gezeten, in de problemen raakten, fysiek en emotioneel, vaak vanaf hun dertigste jaar. Rond 1970 is er voor dat fenomeen aandacht gekomen. Maar van mezelf dacht ik altijd dat mijn problemen een andere oorsprong hadden, ook al wist ik niet welke. Sedert de genoemde uitkering mij is toegekend, ben ik daar anders over gaan denken. Langzaamaan ben ik gaan begrijpen dat er geen andere mogelijkheid is, dan dat de oorlog grote invloed heeft gehad. Ook voor mijn beide zussen en voor mijn ouders.

Ik heb me altijd schuldig gevoeld wanneer ik weer eens een tijd ziek was of me niet goed voelde terwijl ik doorwerkte. Dat kwam door de onverklaarbaarheid. Niemand kon me uitleggen wat er aan de hand was en dus weet ik mijn malaise vooral aan mezelf, aan mijn verwerpelijke emotionele onevenwichtigheid, aan mijn luiheid, domheid of wat dan ook. Daarmee komt een oplossing of een verbetering natuurlijk niet dichterbij. Integendeel: je gevoel van minderwaardig te zijn versterkt de malaise. Nu hebben doctoren die gespecialiseerd zijn in mensen met een oorlogsverleden dus geconstateerd dat ik door die oorlog dermate gehandicapt ben geraakt, dat ik domweg niet in staat ben om 'normaal', d.w.z. als een gezond mens, te functioneren. Nu kan ik het dus plaatsen: mijn energie is 'eindig' en mijn klachten zijn 'normaal onverklaarbaar'. Het onverklaarbare 'heeft een plek'. Mijn klachten zijn niet meer verfoeilijk. Ook nu ik (voor de buitenwereld) al jarenlang niet meer werk, mag ik toch bestaan. Ik ben geen nietsnut of profiteur.

Na de toneelschool moest ik dus in dienst, als oudste zoon. Het was toen (eind jaren vijftig) nog vrijwel onmogelijk om, op grond van wat dan ook, vrijstelling te krijgen. Of je moest jezelf totaal geschift voordoen op de keuring, een tactiek waarvoor ik veel te eerlijk was. En in mijn familie zou alleen al de gedachte dat ik mijn dienstplicht niet zou vervullen als verwerpelijk zijn afgedaan.

Na een maand of tien werd ik 'paraat'. Ik had het inmiddels tot vaandrig geschopt, dat is met één stip en hoger dan sergeant. Want ik doe altijd mijn best, ook voor het vaderland. Ik werd pelotonscommandant bij de Geneeskundige Troepen.

Mijn leven is beheerst geweest door de angst. Dat ben ik me pas de laatste tijd gaan realiseren. Blijkbaar heeft de angst die ik als klein jongetje ondervond zich dermate heftig in mijn lichaam vastgegrepen, dat alles wat er later gebeurde of wat ik ondernam, er door werd bepaald. Ik realiseer me nu dat ik voor alles bang was. Voor alles. Bang om slechte cijfers te halen op school, bang om op te vallen, bang om te falen, bang om niet goed genoeg te zijn bij meisjes, bang voor stoere jongens. De enig mogelijke strategie die ik daar tegenover kon stellen was natuurlijk: heel erg m'n best doen. Dat heb ik dus altijd gedaan. Dat doe ik nog. Meestal kwam ik daar een heel eind mee. Zeker tot aan m'n dertigste. Toen kwam er langzaamaan de klad in. De sleetse plekken werden steeds duidelijker zichtbaar. De onverklaarbare paniek. En de moeheid. De nimmer aflatende moeheid.

Ik zat dus in dienst. Wat moet ik mezelf geweld aan hebben gedaan om dat te volbrengen. En maar m'n best doen, en maar 'goed' zijn, beter zijn, de beste zijn. Na de rekrutentijd werd ik uitgeroepen tot beste soldaat van het peloton. Kunt u zich dat voorstellen? Ik arm klein bang nikserig verminkt mannetje - beste soldaat van het peloton! Is het niet om bitter van te wenen?

Als vaandrig had ik, behalve een dertigtal jongens, ook een stuk of twaalf auto's onder m'n hoede, van grote vrachtauto's tot gewondenjeeps. In Tilburg had ik iets geleerd over wat er onder de motorkap zit en waarom een auto vooruit gaat. En uitgerekend tijdens die twee maanden in Tilburg werd ik verliefd op een meisje uit Appingedam.

Ze was een vriendin van mijn jongste zus, ze studeerden allebei in Groningen en ik ontmoette haar bij mijn ouders in Wageningen. Toen was ze dus *mijn* vriendin en dat vond mijn zus niet zo leuk. Ze was een schat van een meisje. Ik raakte haar niet aan, want ik was nog steeds zo groen als gras. Zij droeg altijd een knalrode maillot. Altijd. Eén keer heb ik haar in Appingedam opgezocht; ik moest daar natuurlijk een nacht logeren. Daarna weer naar de kazerne in Tilburg. 't Was winter. Haar vader kon goed schaatsen en was straaljagerpiloot.

Misschien was dat wel de laatste keer dat ik haar ooit heb gezien. Ze was er ook bij toen we onze jaarlijkse kerstwandeling liepen, met veel familie, in 't bos van Putten, vanuit het houten boshuis van mijn grootmoeder. Zij wandelde rustig (met m'n zus denk ik) mee met de familie, terwijl ik heen en weer rende met een voetbal als excuus. In de verte zag ik steeds haar rode maillot. Al met al hebben we elkaar hooguit drie of vier keer meegemaakt. Vanuit de kazerne schreef ik haar ellenlange brieven, zelfs in het Engels en in 't Frans, overlopend van liefde. En eenzaamheid. Ik weet niet meer of ze terug schreef.

Dat bloedde dus dood, die ‘relatie’, op de klassieke en ontluisterende wijze, namelijk zonder aanwijsbaarheid.

Na nog twee maanden Utrecht (de Technische Dienst), waar we helemaal niets hebben uitgevoerd, behalve ‘s morgens op tijd op appèl verschijnen en de rest van de dag in de zon zitten, werd ik dus paraat. Ik kwam op de Veluwe terecht, De Wittenberg heet ‘t daar geloof ik.

‘t Hardlopen was ik blijven beoefenen, maar verder was ik na Utrecht alleen maar volledig uitgerust. De dag na aankomst in De Wittenberg mocht ik een 5 kilometer wedstrijd meelopen, op de sintelbaan. Die won ik met groot gemak, in de stromende regen, tot bijna hysterische vreugde van de luitenant sport en tot intens ongenoegen van een collega vaandrig die tot dan toe altijd nummer één was geweest en die bovendien een soort geslaagde hockeyer was, en ik was helemaal niks. Hij heeft me die overwinning nog tien maanden verweten, ondanks het feit dat ik daarna nooit meer iets won, door pure vermoeidheid.

Lex Schoorel en Ida Bons, op de trouwdag van Ineke Schoorel, 4 augustus 1961.

In dienst sta je om 6 uur op namelijk, maar ik ging in de avond regelmatig naar Arnhem op mijn tweedehands brommertje en lag dus laat in bed. Want in Arnhem had ik mijn Eerste Grote Liefde ontmoet.

Ida. Leerlinge van de toneelschool - als ik 't goed tel zo'n drie klassen na mij.

Gedreven door eenzaamheid en heimwee naar goede herinneringen, ging ik kijken in 't huis tegenover de toneelschool, waar traditiegetrouw altijd toneelschoolleerlingen kamers huurden; ik klopte op een deur, werd opengedaan, en daar stond een uiterst charmante jongedame, met zeer kortgeknipt haar, een glimlach, en met een koekenpannetje in haar hand met een sudderend biefstukje er in. Verliefd, wij beiden.

Ida was voor mij de vervulling van een lang gekoesterde droom: een vrouw dichtbij, die ik ook kon aanraken. Ze was vrolijk, mooi, lief natuurlijk, en blijkbaar vond ze mij ook leuk. Ze kwam zelfs bij mijn ouders thuis, iedereen kon haar waarderen, en op het bruiloftsfeest van mijn oudste zus droeg ze een enig hoedje. Zo is ze dan ook bewaard gebleven in het fotoalbum van mijn moeder. Gelukkig maar. Want de prachtige foto's die ik met een verliefd oog van haar maakte en liet vergroten, zijn een jaar of vier later, toen het uit was met Ida, door mijn eerste echtgenote verscheurd.

Er was nog een vaandrig van onze generatie. Die bleef altijd in de kazerne en schreef 's avonds brieven naar verschillende mensen. Hij had blijkbaar veel vrienden. Hij zag er, toch nog erg jong, al uit als een geleerde, met een hoog voorhoofd. Snepvangers heette hij.

In de herfst moesten wij naar La Courtine, ergens midden in Frankrijk. Een groot militair oefenterrein. Het Nederlandse leger oefende daar ieder jaar. In lange colonnes reden we erheen. Ik werd verondersteld al 'mijn' auto's veilig ter plekke te brengen. Gelukkig had ik een chauffeur (ook een soldaat), die mij afwisselde met rijden, in onze 'privé jeep.' Hij reed ontzettend goed. Een echte Amsterdammer. Hij heeft me veel geleerd.

Onderweg overnachtten we

een paar keer in een soort tentenkamp, zes weken later op de terugweg weer.

La Courtine herinner ik me zeer goed. De vreselijke, oude, vochtige kazerne waar we moesten overnachten. De chaos, de volstrekt onduidelijke opdrachten, die leidden tot erg gevaarlijke situaties. De modder, waar wij met onze arme, kwetsbare gewondenjeepjes in bleven steken, om vervolgens op een haar na verpletterd te worden door een tank die ons blijkbaar niet gezien had. De paniek, de zinloosheid. Iedere middag rond vier uur ging ik, net als in Nederland, hardlopen vanuit de kazerne, de heuvels in. Jarenlang heeft het hardlopen mij voor complete krankzinnigheid behoed, denk ik. # *1*

Ik herinner me dat je veel Franse kaas kon eten, in de mess. Want wij aten in de mess, een vaandrig hoort bij de officieren... De grootste troost waren de verrukkelijke muskaatdruiven die je in ‘t dorp kon kopen. Ik weet ook dat ik Ida brieven schreef, waarop ik, daar in de woestenij, natuurlijk geen antwoord ontving. God wat miste ik haar!

Terug in De Wittenberg. Om onverklaarbare redenen deden de jongens van mijn peloton altijd wat ik ze vroeg. Daarvoor hoefde ik niet te schreeuwen. Het exerceren beschouwden we als een grap, die nou eenmaal één of twee keer daags moest worden uitgevoerd. Een soort primitieve ballet uitvoering. ‘t Ging altijd wel goed. Ik zorgde ervoor zo vaak mogelijk met mijn soldaten de kazerne uit te gaan, voor al of niet gefingeerde oefentochten. Kon het niet met de auto’s, dan maar lopend. Waren we met de auto’s, dan wisten we tot in de verre omgeving de aardige landelijke restaurantjes te vinden, waar altijd een leuke jukebox stond. Samen sloegen wij ons door de verveling.

Zo nu en dan gingen we ‘op bivak’. Dat is kamperen met soldaten. De hele compagnie tegelijk. Vreselijk vond ik dat altijd. Overbodig vooral. En de domme, erbarmelijke omstandigheden. Op een keer bivakkeerden we een paar kilometer voorbij de Ginkelse hei, achter Ede. Een kilometer of vijftien verwijderd van waar mijn ouders woonden, op Wageningen-Hoog. In het begin van de avond, ‘t was nog licht, besloot ik het bivak te ontvluchten en in mijn ‘werkpak’ en op m’n lage militaire gympies naar het huis van mijn ouders te rennen.

Dat ging goed. Over de hei en door het bos waarvan ik alle paadjes kende. Doorweekt kwam ik aan. Heb lekker gedoucht en m'n vader heeft me weer teruggebracht met z'n Volkswagen Kever.

Zouden mijn ouders zich toen iets gerealiseerd hebben van de walging die mij bezielde, de reden waarom ik die tijdelijke vlucht uit het militaire kamp ondernam? Ik denk 't niet.

Eén keer ben ik vanuit Arnhem niet teruggegaan. Ik was bij Ida en ik zag het helemaal niet zitten om ooit nog in die kazerne te moeten zijn. Ik moet behoorlijk wanhopig geweest zijn. 't Was vast een maandagochtend. Hoogstens twee uur nadat ik op appèl had moeten verschijnen, stonden ze voor de deur: de Militaire Politie. Ik heb geprobeerd uit te leggen wat m'n probleem was, en wonder boven wonder werd ik niet meegesleurd, mede dankzij een gloedvol betoog dat Ida hield tegen de MP mensen, betreffende mijn kwetsbaarheid. Ik werd doorverwezen naar een militaire psychiater in Arnhem.

Dezelfde dag zat ik bij die man op z'n kantoor. Wat hij met mij heeft uitgeflikt heb ik een kleine twintig jaar later verteld aan een psychiater in Bussum, bij wie ik anderhalf jaar lang één maal per week kwam praten over muziek. Deze Bussumse psychiater vond het ronduit schandelijk wat hij hoorde. Hij zei: die man zou z'n opleiding opnieuw moeten doen. Enfin, het kwam er op neer dat de Arnhemse militaire psychiater mij vernederde en chanteerde. Ik liet me dus omlullen en ben braaf teruggegaan naar de kazerne, voor nog eens een maand of tien nutteloosheid. Terwijl ik de kans had, toen, om uit dienst te stappen. Ik was te braaf.

We hadden een kapitein als compagniescommandant die nog in Korea had gevochten, en misschien ook wel in Indonesië. Zo eentje waar je respect voor hebt. Met een snor. Toen ik afzwaaide en voor 't laatst op z'n kantoor kwam, zei hij: ik weet niet hoe je het voor elkaar kreeg, maar je had het beste peloton dat ik ooit in m'n compagnie heb gehad. Ik hoorde je nooit schreeuwen, maar je had de beste discipline...

In veel situaties, bij film en theater, bleek ik, toch ook wel tot mijn eigen verbazing, onzichtbaar te zijn. In 1982 werd *Armoede* opgenomen. Voor degenen onder u die niet weten wat ik bedoel: dit was een tv-serie in elf delen, zich afspelend in 1900, geregisseerd door Bram ven Erkel, uitgebracht door de NCRV. Het script was geschreven door de vermaarde kinderboekenschrijver Peter van Gestel (*Mariken*) op basis van de roman *Armoede* van Ina Boudier Bakker. Wanneer u deze serie niet hebt gezien, hebt u de mooiste Nederlandse televisieserie gemist die ooit werd gemaakt. Het zou te hopen zijn dat hij nog eens wordt uitgezonden. Hij kan concurreren met de beste Engelse kostuumseries. In ieder opzicht: inhoud, spel, aankleding, camerawerk. Ik vind nog steeds dat de serie zou moeten worden verkocht aan het buitenland (ook Engeland) en daar zou moeten worden nagesynchroniseerd. *# 2*

De familie Terlaet uit Armoede. De complete cast van de tv-serie.

Ik speelde in die serie een grote rol. Er kwam wel eens een journalist op de set, om met de grote rollen te praten. Men zag mij dan steevast over het hoofd. Op foto's ontbreek ik ook nogal eens. Zelfs de makers van de serie, die op dat moment aan 't filmen waren, vergaten soms dat ik meedeed. Tot 't moment natuurlijk dat er een scène moest worden opgenomen waarin ik prominent aanwezig was.

Ik weet wel een beetje hoe dat komt. De meeste acteurs hebben iets waardoor je altijd ziet dat ze acteur zijn. Ze hebben iets om zich heen hangen dat suggereert dat ze belangrijk zijn, hoe klein ook hun aandeel in de productie of van welk niveau ook hun prestatie is.

Ik daarentegen heb iets om me heen hangen van onbelangrijkheid. Dat is aangeboren. Of het is een truc die ik me in m'n jonge jaren (misschien al in de oorlog) heb eigen gemaakt. Het is niet erg, soms zelfs zeer prettig - als anderen moeilijk doen ben je vaak een onzichtbare toeschouwer - maar voor een flitsende carrière is 't wellicht fnuikend. Zie mijn carrière. *De Onzichtbare Acteur...*

Niettegenstaande mijn onzichtbaarheid zagen sommige regisseurs dus toch mijn talent. Zoals Bram, zoals Berend Boudewijn later bij de Nieuwe Komedie, zoals Adrian Brine en Fons Rademakers.

Fons was *Twee Druppels* aan 't casten. Hij had alle jonge mannen van het Nederlandse toneel al bij zich gehad en hoorde toevallig van mijn bestaan, via de ontwerper Friso Wiegersma, de vriend van Wim Sonneveld. Ik liep als bruine jongeman in een rokje de blinde Ton Lutz te begeleiden (in *Koning Oidipus*, zie het eerste hoofdstuk) en Fons kwam kijken. In de Amsterdamse schouwburg. Helaas zat hij zo ver rechts in de zaal, dat hij me niet kon zien (vertelde hij me later…). Toch kreeg ik dat briefje, en een paar dagen later zat ik bij hem thuis in Amsterdam aan de Keizersgracht. Hij ging koffie zetten in zijn mooie witte keuken, met zo'n Italiaans lichtmetalen opdraaiding, wat in die tijd veel mensen gebruikten. Een paar minuten later - wij zaten gelukkig in de kamer - was er een grote knal. Blijkbaar had hij de bovenste helft verkeerd opgeschroefd. De keuken was geheel bruin, ook het plafond. Wanneer we in de keuken waren gebleven, was dat misschien het vroegtijdig einde geweest van mijn juist begonnen filmcarrière... Brandwonden en zo.

Tevens was ik, ook al op jonge leeftijd, buitengewoon eigenwijs. Niet opdringerig, niet betweterig, maar duidelijk. Dat is des te vervelender omdat ik meestal de indruk maak een bescheiden, meegaand, vrijwel onzichtbaar mak schaap te zijn. Als dat schaap dan ineens een mening blijkt te hebben over van alles, blijkt te hebben nagedacht en daar ook nog de consequenties voor zichzelf aan verbindt, kunnen de mensen behoorlijk schrikken. Van schaap verander je dan in zondebok. Van meet af aan was het 'plaatje-schaap' natuurlijk al een gevolg van het gebrekkige waarnemingsvermogen van die mensen, niet strokend met de werkelijkheid, maar ja, je zit er maar mee.

Fons kon, niettegenstaande de ontplofte koffiepot, mijn eigenwijsheid bij die eerste ontmoeting wel waarderen. Hij schreef zelfs in de krant dat ik bij de proefopnames als enige bepaalde momenten anders wilde spelen dan hij het voorstelde, *en dat mijn opvatting beter was dan de zijne... # 3*

Nadat de film was uitgekomen liet Fons nooit meer iets van zich horen. Ik begrijp nog steeds niet waarom niet. Hij had nooit een probleem met mijn acteerprestaties, ik werkte snel en nauwgezet, dikwijls stond 't er in één *take* op. Er waren dagen waarop we meer dan twintig instellingen maakten. Iedereen waardeerde de film, hij had dus geen klagen, zou je zeggen. Toch was de eventuele vriendschap subiet afgelopen na de laatste nasynchronisatiedag. *# 4*

Ik ben jaren later nog één keer bij hem geweest, toen op de Prinsengracht. Al rond 1967 wilde ik het boek *De Heksenvriend* van Helga Ruebsamen verfilmen. Ruim tien jaar later ging ik er mee naar Fons. Ik liet het boek daar achter en hoorde nooit meer iets. Inmiddels, ruim dertig jaar na *De Heksenvriend*, is Helga Ruebsamen dan toch echt bekend geworden - haar *Het Lied en de Waarheid* zijn doorgedrongen. Ik zocht haar destijds op, in Den Haag. Ze woonde in een soort tuinhuisje. Die verfilming ging niet door. Wist ik veel hoe je zoiets aanpakt.

Ik was toen bij De Nieuwe Komedie-Arena in dienst, in Den Haag dus. De artistiek directeur van die groep, Berend Boudewijn, had drie acteurs en een regisseur weggehaald bij Het Nederlands Kamertoneel in Antwerpen: Shireen Strooker, Robert Borremans en ik, en ook de Engelse regisseur Adrian Brine. Het seizoen ervóór had ik bij Berend al een gastrol gespeeld, in *Mama, kijk, zonder handen* van Hugo Claus. Berend was een aimabele jongeman, met een goed inzicht in de kwaliteit van toneelstukken, ook in relatie tot het spelersmateriaal dat hij beschikbaar had. Mary Wagenaar (die ook bij De Nieuwe Komedie speelde en die later mijn tweede echtgenote zou worden) zei over hem: hij zou dramaturg moeten zijn, en dat was hij bij De Nieuwe Komedie natuurlijk óók. Bij regies van hem kon je je op je gemak voelen, er werden geen absurde eisen aan je acteertalent gesteld. Hij liet veel aan de acteurs zelf over, hetgeen in principe een prettige benadering is van een regisseur.

Mama, kijk, zonder handen, van Hugo Claus, de hele cast. Foto Buck Butten.

Ik voelde me bij de productie van *Mama, kijk* direct erg op m'n gemak in de groep. Voor het eerst leek ik, na *Twee Druppels*, ook als theateracteur een plek gevonden te hebben. Ik zou nalatig zijn wanneer ik niet alle andere acteurs uit *Mama, kijk* even zou noemen: ze speelden allemaal een leuke rol in deze voorstelling. Truus Dekker, Tatiana Radier, Johan Sirag, Frans Koppers, Wim de Meijer en Kitty van Wijk. We speelden het stuk precies honderd keer, verdeeld over drie seizoenen. De laatste voorstelling was in het Nieuwe De La Mar theater. Bij de Nieuwe Komedie heb ik twee en een half jaar erg prettig gewerkt. Ik kreeg grote rollen te spelen en de mensen onder elkaar waren 'gewoon'. Een gezellig clubje zonder sterren.

In Antwerpen was ik door Cas Baas gevraagd voor een rol in *De Dans van Sergeant Musgrave*, van John Arden. Regie Adrian Brine. Zeer welkom, na de teleurstellingen bij De Nederlandse Comedie. Daar had ik, op mijn verzoek, een gesprek gehad met Han Benz van den Berg, de artistiek leider van de Nederlandse Comedie. Ik wilde m'n hart luchten over van alles - ik weet niet meer wat. In mijn herinnering duurde dat gesprek twee uur. Een paar dagen later kreeg ik schriftelijk bericht van Guus Oster (de zakelijk leider): of ik maar een andere werkgever wilde zoeken. Dat wilde ik wel, maar 't was niet zo gemakkelijk. Onze zoon was geboren en Maélys was in een voortdurende shocktoestand, zo leek het; ze zat als een zombie in een stoel, en ik deed dus alles voor het gezinnetje. Ik probeerde nog bij de toneelgroep Studio te komen, in Amsterdam, maar daar 'hadden ze al iemand van mijn type'. Ik begreep dat daar Leen Jongewaard mee bedoeld werd... Enfin.

De Dans van Sergeant Musgrave, met Robert Borremans, Paula Sleyp, Lex Schoorel en Jan Moonen.

Foto: Reusens.

Antwerpen kwam dus als geroepen. De voorstelling van *Musgrave* had een uitzonderlijk niveau. Ook door de verschillende Vlaamse dialecten die, naast het Nederlands, werden gebezigd. Een paar spelers: Shireen, Robert en ik dus, Hugo Metsers, Leo Beyers en Roger van Hool (de titelrol, eigenlijk was hij Franstalig) en Jef Cassiers.

Een aantal van ons heeft nog eens bij Roger gelogeerd, in z'n mooie huis buiten Antwerpen. Ik herinner me het ontbijt in de tuin, in de zon, gastvrij en overvloedig.

Adrian, de regisseur, gaf mij weer het vertrouwen terug dat ik een echte acteur was. Ik denk dat ik de rol van Hurst goed speelde. En samen spelen met Robert Borremans was erg prettig. Toch voelde ik me in de scène met het meisje Annie een week voor de première nog steeds niet op m'n gemak. Ik vertelde dat aan Adrian. Zijn reactie ben ik niet vergeten. Hij antwoordde: weet je zeker dat dat aan jou ligt? Vanaf dat moment speelde ik de scène gemakkelijker. Want inderdaad: je speelt een scène niet in je eentje. De verantwoording ligt niet alleen bij jou. Adrian's antwoord was op dat moment de perfecte steun in de rug.

Tussen de middag aten we warm, in de keuken van het eigen pand van het Kamertoneel (was dat in hetzelfde gebouw als het theater?). Erg gezellig. En 's avonds waren er de immer vriendelijke en uitnodigende terrasjes langs de brede straat tegenover het station, de Keyzerlei.

Helaas kwam Maélys op m'n nek zitten, na enige tijd. Ze had onze zoon bij haar ouders gestald, in Rotterdam. Tot diep in de nacht wilde ze ruzie maken, liefst op straat. Ik werd daar erg moe van. Zo moe dat ik tijdens een voorstelling m'n hand brak, door een onhandige manoeuvre. Met gebroken hand moest ik nog even over 't toneel rennen, een trap op en over een stellage, daar doodgeschoten worden, vallen en stilliggen. Ik voelde dat er het een en ander goed fout zat in m'n linkerhand en ik begreep dat ik van m'n pijn af kon zijn door allerlei scheef zittende botjes weer min of meer op hun plek te duwen. Dat deed ik dus, stiekem, doodliggend, en de pijn was weg. De voorstellingen er na speelde ik met één hand in het gips. Als herinnering is de middelvinger van mijn linkerhand ruim een halve centimeter te kort. Verkeerd gezet door de nachtelijke Belgische dokter... Met Maélys kwam het toch nog goed. Leo Beyers, die ook regisseur was, en zij vonden elkaar. Ze knipte haar prachtige lange zwarte danseressenhaar af en speelde bij Leo in een musical. Het afknippen van haar haar symboliseerde het einde van onze relatie.

Mijn opmerkingen over Maélys klinken misschien niet erg aardig. Maélys is ook een oorlogskind. Het is overduidelijk dat zij, na de geboorte van onze zoon, totaal in de war was. Zij had dringend hulp nodig maar ze heeft die nooit gehad. Dat realiseer ik me ook pas sedert enkele jaren. Aan mij had ze niet zo veel steun, behalve dan dat ik alles deed in het huishouden en voor het kind, tot aan de Antwerpse tijd. Ik begreep niet wat er met haar aan de hand was, waarom ze mij achterna reisde bij voorstellingen van de Nederlandse Comedie en nachtenlang wilde doorpraten over voor mij onbegrijpelijke dingen, waarom ze thuis apathisch in een stoel zat.

Ze heeft nog wel wat aardige dingen gedaan voor de televisie, speelrolletjes (in *Ti Ta Tovenaar* en in *Q en Q* onder andere), en jazzballet, waar ze erg goed in was. Maar na een paar jaar stond alles stil. Ik hoop dat ze in de musical bij Leo Beyers een leuke tijd heeft gehad, dat meen ik oprecht.

Ik ben al mijn geliefden van weleer zeer dankbaar, nog steeds. Oók Maélys, let wel. Zij hebben het mij allen op hun manier mogelijk gemaakt om weer een tijdje door te gaan met leven. Sommigen hebben mij door extreem diepe dalen geholpen. Wanneer ik aan hen denk (wat regelmatig voorkomt), is het met een gevoel van liefde.

Maélys en Timothy, 1965

1 Lees ook het uitstekende verhaal over La Courtine van Philip Freriks in zijn alleraardigste boek *Gare du Nord.*
2 In *BOEK II* vindt u een bespiegeling van mijn hand over de verschillen tussen het boek *Armoede* van Ina Boudier Bakker en de televisieserie die op basis van dat boek werd gemaakt. Overigens schijnt er op de serie *Armoede* ook een boycot te liggen – ik schijn de boycots aan te trekken…
3 In 2004 vertelde Friso Wiegersma mij dat hij en de vrouw van Fons, Lili Veenman, Fons destijds nadrukkelijk hebben overgehaald *mij* te kiezen voor die hoofdrol(len) in *Twee Druppels…*
4 In 2004 heb ik Fons ontmoet bij de hervertoning van een aantal van zijn films in Utrecht, waaronder ook *Twee Druppels*. Zie mijn verhaal in *BOEK II*. Fons Rademakers is overleden op 22 februari 2007.

Cameraman Raoul Coutard en regisseur Fons Rademakers bij de opnames van Als Twee Druppels Water. Foto: Ed van der Elsken.

DE KONING DIE NIET DOOD KON
Eerste acte - scène 6 (fragment)
In de troonzaal van het kasteel.
(.....)
Opper (*tegen de koning, die nu vrijwel naast hem zit)*: Majesteit, hoe moet dit nu? Ik hou dit niet langer vol! Deze onrust, deze ongeregeldheid, deze chaos... Wij moeten toch regeren?!
Koning: Waarover maak je je zorgen, opper? Alles gaat goed in het koninkrijk, iedereen is tevreden. Alleen u maakt zich zorgen. Waarom? U bent zo jong, de jongste van ons allemaal... behalve Ada, nu. U hebt nog een heel leven om plezier te hebben, te lachen, in de zon te zitten... Kijk, de zon schijnt. Zo dadelijk gaan wij allemaal in de tuin zitten, bij de vijver, in de zon, kijken naar de goudvissen en de waterlelies... Meer is er niet te bereiken in dit leven, opper. Ik ben 129 jaar, ik kan het weten... Waarom bent u ongelukkig? Wat wilt u bereiken?
Opper *(huilt bijna)*: Als ik niet iets regel... wie ben ik dan? Als de nar mij voor de gek houdt, als ik niet iemand mag tegenhouden bij de poort en in de boeien slaan, als ik zó onbelangrijk ben, wie ben ik dan?
Waarvoor heeft de majesteit mij dan nog nodig?
Koning: Voor de kleine dingen die nou eenmaal geregeld moeten worden om het leven te kunnen leven, opper: de rekeningen van de kruidenier... de goedkeuring voor de poffertjeskraam... een paar cijfertjes, een beetje gezond verstand, een handtekening...
Opper (*haast wanhopig)*: Is dat alles?
Koning: Is het niet genoeg?
Opper *(kiest voor zijn ambitie)*: Nee, majesteit. Ik geef er niet aan toe. Mijn vader heeft het land gediend, en mijn grootvader. En nu ik. Wij zijn altijd belangrijk geweest. Dat moet zo blijven. Ik ben onmisbaar. Ik wil onmisbaar zijn... ik wil het koninkrijk dienen, zoals het hoort.
Ik trek mij terug in mijn werkkamer. Ik hoor graag van uwe majesteit wat er verder moet gebeuren met deze indringster.

Ik sta tot uw dienst, ik ben uw dienaar, als altijd. *(Hij maakt een buiging en schreeuwt dan bijna)*: Ik ben geen nar!

De opperminister verdwijnt naar zijn kamer; maar hij vergeet niet het bordje om te draaien naar "niet storen." Stilte.

Ada: U bent de koning...

Koning *(kijkt haar aan; na een stilte)*: Ja.

Ada: Waarom is hij zo bang?

Koning *(denkt even na)*: Wij hebben allemaal onze spelletjes. Die van hem zijn wat belangrijker... denkt hij.

Ada: Is hij bang voor mij?

Koning *(denkt even na)*: Voor jou het meest. Jij bent het jongst. *(stilte)* Als wij allemaal jong zouden blijven, vijftien bijvoorbeeld, zouden onze spelletjes niet zo belangrijk kunnen worden. Denk ik.

Ada: En u dan?

Koning: Ik?

Ada: U bent 129.

Koning: Dat is het aller jongst.

Nu pas neemt de koning de narrenkap van zijn hoofd en zet hem op tafel. De hofnar neemt nu ook de kroon van zijn hoofd en geeft hem aan de koning...

(.....)

Hoofdstuk 3 - Drosteflikken

Ik was jong en had een redelijk goed voorkomen. Ik zag er nog jonger uit, was atletisch en ijverig, had problemen met m'n huwelijk en was daardoor diep radeloos, wat ik wist te verhullen voor de mensen met wie ik werkte. Ik heb het over de jaren 1966,'67,'68...

Officieel woonde ik nog steeds in Amsterdam, maar na Antwerpen zat ik veel in Den Haag. Ik speelde tussendoor ook nog in *Modesty Blaise*, een vergeten film van Joseph Losey, met (o.a.) Monica Vitty en Dirk Bogarde. Daartoe logeerde ik ook een dag of tien in één van de duurste hotels in Londen, wachtend op die ene draaidag in de Londense studio, samen met Maélys, op kosten van de *film company*. Een absurde toestand. Musea bezoeken natuurlijk. En 's middags uitgebreide *tea*. Maélys kocht dure kleren, dat deed ze in Amsterdam ook, en ze had zeker smaak. Voor de rest werd de film opgenomen op locaties in Amsterdam. Ik was een soort spion die zich als clown annex goochelaar voordeed.

Modesty Blaise, even ontspannen tussen de opnames door, met Lex Schoorel (tweede van links) en o.a. Joseph Losey, Monica Vitty en Dirk Bogarde.

Na *Vrouwtje Bezemsteel* speelde ik één seizoen de titelrol in een andere jeugdserie voor de TV: *Labberdibbus*. Deze figuur was een professor/uitvinder met een sikje. Door zijn uitvindingen kwam hij in allerlei vreemde landen terecht. Leuk was, dat ik door deze serie met veel verschillende acteurs en actrices kon werken. Nu weet niemand meer dat die serie er ooit geweest is, heb ik gemerkt.

Sara Heyblom en Lex Schoorel in de tv-serie Labberdibbus.

Als ik had kunnen paardrijden had ik Floris gespeeld in de gelijknamige serie, geregisseerd door Paul Verhoeven (Paul zei mij dat letterlijk bij een soort auditiegesprek). Nu werd het een kleinere rol en ging Floris naar Rutger Hauer, die ik al had geregisseerd bij de Noorder Compagnie in Drachten. Het schermen kwam me goed van pas. Ook in *Romeo en Julia* had ik al moeten schermen (met Cor Stedelinck), nu was Hans Kemna mijn opponent. Nou ja, schermen... ‘t Waren van die grote ontilbare zwaarden. Hoogst komisch. Ida stond of zat toe te kijken, als de een of andere adellijke dame, samen met Diana Dobbelman. Blijkbaar was ik over mijn Grote Liefdesverdriet heen m.b.t. Ida, die mij tijdens de opnames van *Twee Druppels* definitief had ingeruild voor Jopie Walhain, van wie ze op de toneelschool al les had.

In de zomer van 1962 kwam ik terecht op een lege verdieping aan de Lijnbaansgracht, leeg in de zin dat de bewoners Wim Sonneveld en Friso Wiegersma waarschijnlijk in Frankrijk zaten. Hoewel, Friso kwam regelmatig op de set, want hij had *Twee Druppels* aangekleed, uitzonderlijk sober en doeltreffend en authentiek.

Ik was 23 jaar en kwam uit de provincie, daar deden mijn twee dienstjaren voor het vaderland niets aan af, en zat alleen in Amsterdam. 's Morgens vroeg werd ik met een busje opgehaald om te filmen. Iedere dag, alleen zondag niet. Soms ook zondags. Ik had een teerbeminde die bij een nieuw vriendje zat, enkele straten verderop.

Na dat ene gesprek bij hem thuis, met ons drieën, was ik definitief zeer bedroefd. Het gevreesde was waar, en ik wist nu hoe dat voelt. Na de opnames dronk ik meestal een stevige slok, 's avonds of 's nachts, hoewel ik eigenlijk nooit dronk, want ik kan er nou eenmaal niet tegen. Toen hielp het blijkbaar het leed te verzachten. Vaak draaide ik de *Symphonie Fantastique* van Berlioz, want die plaat hadden ze daar in Sonneveld's huis, en nog steeds roepen bepaalde passages een spookachtige, dreigende onheilssfeer bij me op, die in combinatie met het toenmalige verdriet (en de bessenjenever) werd geschapen.

Ruime tijd voordat ik 's morgens zou worden afgehaald, liet ik de wekker afgaan en dan ging ik in de niet gebruikte benedenverdieping gymnastieken. Na een douche stond ik dan weer fris te wachten op de komst van het busje. Op één keer na. Toen kreeg ik de kater niet weg. Die dag filmden we maar drie instellingen. Ik kan ze nog precies aanwijzen als ik de film zie. Fons zei niets.

Alléén was ik daar, op het verdiepinkje aan de Lijnbaansgracht. Niemand heeft mij er ooit opgezocht. Niemand heeft er ooit aan gedacht om eens bij mij te informeren naar mijn lichamelijk en geestelijk welzijn, als provinciaal jongetje, voor 't eerst in Amsterdam, alleen, met een zware rol, en met, klaarblijkelijk, ook wel wat persoonlijke sores.

Later ebde de ellende wel weg. Alles slijt - hoe zouden we anders kunnen overleven?

Terug bij mijn toneelgezelschap het Nieuw Rotterdams Toneel speelde ik een rolletje in *De Keuken*, zoals ik al vertelde in het begin van mijn verhaal. Mijn verloren geliefde zat ook in de voorstelling. Ze liep zo nu en dan als serveerster langs me heen. Ik weet niet meer of ze ook wel eens een bord soep of een omelet bij me kwam halen. Dat was wel moeilijk. Ida die in dezelfde voorstelling zat. Dat was moeilijk.

Een jaar of vijftien later heb ik haar nog eens opgezocht. In een flat in Zaandam. Ze had een dochter van een jaar of drie, die moet nu dus over de twintig zijn. Het was wel grappig om Ida weer te zien. Maar ja, wat heb je elkaar te zeggen? Waarover spraken wij met elkaar?

Een paar jaar geleden, bij een screentest, zag ik de acteur K. Hij zat bij haar in de klas. Hij vertelde dat Ida nog leeft en wist ook vagelijk waar ze nu woont. Ik begreep niet waar dat was. Hij vertelde ook dat nogal wat mensen van de eerste lichtingen van de Arnhemse Toneelschool (hij ook dus) emotionele en fysieke problemen hebben gekregen door hun verleden als kind in de oorlog. K. was altijd al lang en mager. Maar toen ik hem zag dacht ik: zijn wij al zó oud? Aardig van hem, mij even aan te spreken.

Inmiddels heb ik Ida opnieuw ontmoet, een jaar geleden, op haar nieuwe adres. Een klein rijtjeshuisje. Dat was leuk. Ze ziet er nog fantastisch uit. Een paar dagen na onze ontmoeting plaatste Henk van der Meijden een paginagroot artikel over haar in De Telegraaf, met een beeldschone foto van Ida en haar volwassen dochter. In dat interview is Ida zeer openhartig over haar theatercarrière en de vele problemen die zij heeft moeten overwinnen. Ze zou nog wel willen spelen, denk ik, maar dat komt er blijkbaar niet meer van, zoals bij zo vele talentvolle acteurs. Ook weet ik niet of zij het met haar recht-door-zee-mentaliteit erg lang zou uithouden in de theater- en tv-kringetjes. Ze heeft te veel meegemaakt om tegen gekonkel te kunnen en ze doet over alles direct haar mond open. Daarmee vergroot je niet je kansen op rollen of om je geliefd te maken bij mensen uit 'het wereldje'.

Het achtertuintje van Ida is helemaal vol geplant met heesters en klimplanten. Al het andere (de wanden van het schuurtje, de stoeltjes, de bankjes, de potten en gietertjes, zelfs de tegels op de grond) heeft ze blauw geschilderd. Enkele uren ben ik bij haar geweest. Ik hoefde bijna niets te zeggen - zij praat wel. Ida. Ze is gewoon Ida. Eerlijk, zonder flauwekul en niet sentimenteel. Ik heb haar de eerdere versie van dit manuscript gestuurd en ze vond het prachtig. Later heb ik haar ook de 'demo' gestuurd met vier van mijn liedjes er op. Ook die vond ze mooi. Ik hoop dat ik haar daarmee iets heb kunnen geven waarmee ik even haar hart heb kunnen raken. Dat hart heeft ze goed leren af te schermen, daar komt iemand niet zomaar meer bij.

De grootste productie bij het Rotterdams Toneel was *Cyrano de Bergerac*. Met Guus Hermus in de titelrol en verder André van den Heuvel en Willem Nijholt. En Ann Hasekamp. Een fenomenale rol van Guus, zoals iedereen weet. Hij schijnt de rol jaren later nog es gespeeld te hebben. Willem was ook erg goed. Hij had een schermgevecht met Guus en deed dat natuurlijk uitstekend. Op een feestje bij Willem thuis viel het me op dat hij zo makkelijk kon dansen.

In *Cyrano* speelde ik een page. Zonder tekst. Ik liep een paar keer heen en weer op laarsjes met tamelijk hoge hakken. Waarom weet ik niet. Een soort levende versiering.

Een jaar of acht later zat ik met Guus in een andere voorstelling: *De man van La Mancha*. De musical. In Carré. Ik was werkloos, na de Nieuwe Komedie (freelance, kun je ook zeggen), en kon in die productie meehuppelen en -zingen als ezeldrijver. Bij de laatste generale (met publiek) durfde Guus midden in de voorstelling het toneel niet meer op. Dat overkwam hem wel vaker. Het doek bleef dus voor de neus van het publiek dicht op een raar moment. Niemand deed iets. Paniek achter. Ik zag het aan en dacht: dit is te gek. Ik kroop tussen de twee helften van het voordoek op het voortoneel en sprak het volle Carré toe. Of ze even geduld en begrip konden opbrengen vanwege een technisch mankement. Even later kon de voorstelling gewoon doorgaan. Maélys zat in de zaal en zei na afloop: je zou altijd nog danser kunnen worden. Over mijn toespraakje zei niemand iets.

In de dagen van de Nederlandse Comedie zaten ook de Opera en het Nationale Ballet in de stadsschouwburg. Dat was een gezellige boel. Ik ging graag met de dansers om. Vooral met Pietje. In de kantine zag je elkaar dan. Pietje was niet zo groot en danste vaak grappige rollen. Ik herinner me een duet - pas de deux - dat hij danste met Corrie van Gorp, die later eindeloos bij André van Duin heeft meegedraaid. Ik ging veel naar balletuitvoeringen toe en genoot daarvan. De operazangers (sonoor pratend) hoorde je al van ver door de galmende

gangen aankomen richting kantine. Ik kon toen niet vermoeden dat ik acht jaar later zelf klassiek zanger zou zijn...

Op Hoop van Zegen.

Foto: Frits Lemaire.

Op Hoop van Zegen was een goede voorstelling. Met Mimi Boesnach als Knier. Verder Hetty Verhoogt, Hans Boswinkel, ikke, Johan Fiolet als reder en Dick Swidde als de boekhouder in de vierde acte. En Pierre Myin, en een schitterend rolletje van Rien van Nunen (later speelde hij Stiefbeen voor de TV). En Huib Broos. Huib en Hein Boele en ik waren de jongste lichting bij dat gezelschap. In *De Hoop* moest Huib een verbastering van het Franse volkslied zingen, op de wanhopige avond voor het vertrek van het gammele bootje: *Allôze-vo-de-la-bedie.....e*. En ik herinner me hem in een ander stuk waarin hij keihard *Ten Aanval!* mocht roepen. In een komedie liepen Hein en ik rond als ober, zonder tekst. Hein ontkurkte iedere avond een fles champagne en zorgde er voor dat de kurk op het derde balkon terechtkwam. Dat waren zo onze verdiensten bij dat grote gezelschap. Gelukkig hadden we elkaar.

De Hoop had een mooi klein decor (van Wim Vesseur), dat zelfs helemaal naar voren gerold werd, en de vierde acte (dus na de pauze) juist ruim en licht. Veel gekrijs van meeuwen. Mimi Boesnach huilde altijd echte tranen, op 't eind. Ze had een Dafje. Op een keer reden zij en ik vanuit Leeuwarden in dichte mist naar Amsterdam terug, 's nachts. Ik aan 't stuur. Dat was wel eng. Eén keer ben ik vanuit de tv-studio met een taxi naar noord Groningen gereden voor een voorstelling van *De Hoop*. Sappemeer of zo. Ik was net op tijd.

Pak aan en de vloer op. Geen tijd dus om nerveus te worden. 't Was een goeie rol van me, Barend. De regie was van Han Benz. Daar kan ik me weinig meer van herinneren. Behalve dat hij bij de eerste lezing het hele stuk *voorlas* (was dat toen nog gewoon?) en dat mij nog niet was gezegd welke rol ik er in zou spelen… Onvoorstelbaar!

We speelden een keer twee voorstellingen in Groningen, in een weekend. Ik denk van *Antonius en Cleopatra*. We moesten daar overnachten. Maélys ging mee. We zochten een zeer goedkoop hotelletje uit, pal naast de schouwburg. We konden nauwelijks slapen vanwege 't lawaai in de belendende kamertjes. Je kon je daar niet wassen, in dat hotel. We zouden onze tanden poetsen in de schouwburg, 's morgens vroeg, dachten we. Maar de schouwburg was hermetisch gesloten. Logisch.

We hadden afgesproken om op bezoek te gaan bij mijn zus en zwager en eerste baby in Meppel, zondagochtend, met de trein. Op zaterdagmiddag hadden we in Groningen bij een banketbakker een cadeautje voor ze gekocht. Drosteflikken. In een ronde doos. Keurig ingepakt in een leuk papiertje.

Kleverig en slaperig en met een vieze mond liepen we langs de gracht bij de schouwburg in de richting van 't station. Bij de eerste brug sprong het tasje van Maélys open. De inhoud viel op de stoep. Ook het ronde cadeautje met de Drosteflikken. Het doosje rolde. Rolde keurig schuin in de richting van het water, vlakbij de brug. En rolde de gracht in. Wat een teleurstelling. Aan de leuning van de brug hing een lange stok met een haak, ik vermoed om eventuele drenkelingen op te vissen. M'n laatste kans, dacht ik, blijkbaar. Je kunt zo'n duur cadeau toch niet zomaar verloren laten gaan. Dus pakte ik de stok met de haak en begon te vissen. Want het mooi ingepakte doosje met Drosteflikken dreef nog, zo'n beetje. Ik viste. Maar ik kreeg natuurlijk geen vat op het ronde doosje, met die simpele haak. Wat jammer nou. Toen zonk het doosje. En terwijl het zonk, verscheen er een bruine wolk op de plek waar het doosje de diepte in ging. Ik had de strijd verloren. Ik hing de haak terug.

Maélys had inmiddels de frutseltjes uit haar tasje weer bij elkaar gezocht en we liepen door naar het station. Als echte armoedzaaiers. Bij m'n zus hebben we gedoucht. We hadden geen cadeautje.

Jaren later realiseerde ik me pas welk een uitermate komische scène ik daar heb staan uitvoeren, met m'n drenkelingenhaak, in Groningen, bij de brug langs de gracht. Gelukkig was het nog erg vroeg, en stil op straat. Groningen sliep nog...

Jeanne van Schaik-Willink was toneelrecensent voor de Groene Amsterdammer. Zij hield van mij. Ik kon geen kwaad bij haar doen. In al mijn toneelrollen zag zij het goede. Leuk is dat. Ik geloof dat zij ook al gecommitteerde was bij mijn eindexamen aan de toneelschool. Ik kan me niet herinneren haar ooit persoonlijk gesproken te hebben.

Ook Petra Laseur zat bij de Nederlandse Comedie, toen. Ik kwam haar één of twee jaar geleden nog es tegen, toen ik één dag mocht opdraven voor een totaal overbodige en onduidelijke professor in de laatste aflevering van de donkergrijze serie *Unit 13*. Zo'n rolletje waarvan ze bij de montage ook de denkpauzes wegknippen, hopend dat 't dan toch nog wat wordt, wat natuurlijk niet zo is. Daar was Petra ook. Ze herkende me (na dertig jaar, met baard!) en we praatten een tijdje. Lief van haar. Ze speelde een goede rol in *Unit 13*. Allicht. En wat ziet ze er nog goed uit!

Een CV maken, dat is erg. Een Curriculum Vitae. Dat is een lijst met chronologisch opgesomde heldendaden. Nog niet eens het opstellen van zo'n lijst, want daarbij kun je jezelf nog wel verbazen over wat je *inderdaad* allemaal gepresteerd hebt. Maar dan... Je stuurt je mooie lijst op met hoop en verwachtingen. *Nooit* leidt zo'n onderneming tot iets. Je krijgt nooit het idee dat iemand die lijst ook maar heeft bekeken, laat staan er van onder de indruk was. En word je al gevraagd voor het een of andere schnabbeltje, dan ben je steeds opnieuw verplicht aan de onvermijdelijke screentest mee te doen, alsof je nog nooit eerder iets bij toneel, televisie of film hebt gedaan. Wat ook je verdiensten geweest zijn, je moet jezelf steeds opnieuw verkopen.

Met mijn nu dikwijls vaak pijnlijke rug kan ik me haast niet voorstellen dat ik zo'n 15 jaar geleden (dus rond 1986) in Amsterdam nog dagelijks speelde en regisseerde, de fysiek zware rol van clown vertolkte in een toneelstuk voor kinderen en in een andere voorstelling zowel een heks als een oma als een aardman.

Voor de 'echte' toneelmensen was ik al jaren onzichtbaar. Mijn activiteiten speelden zich af in een van de vele marges die het theaterwereldje rijk is, waarbij anonimiteit vrijwel gewaarborgd is. Dit klinkt misschien een beetje bitter. Zo is het ook bedoeld. Jarenlang heb ik me bij het theater 'uit de naad gewerkt' zonder dat daar veel publieke erkenning uit voortvloeide en vaak zonder enig financieel gewin. Dat werk heeft mij altijd voldoening gegeven en ik had niet kunnen overleven zonder het te doen, maar over die anonimiteit ben ik wel bitter. Of teleurgesteld – dat is misschien het juiste woord.

In die tijd heb ik ook leren dansen, rond m'n 45-ste jaar dus. Beter laat dan nooit. Geen stijldansen (dat kan ook leuk zijn) maar solo, geïmproviseerd zullen we maar zeggen. In de prettige discotheek

Zorba the Buddha. Ik ging daar wekelijks twee of drie keer naar toe, vroeg, als de vloer nog leeg was, en leefde me uit. Niet het domme gewiebel dat je de jongelui later op de avond ziet doen - echt dansen. Drie jaar heb ik dat volgehouden. Ik kreeg zelfs een aantal dansvrienden en -vriendinnen, die ik verder helemaal niet kende, maar die even gek waren als ik. Nu kan ik dat niet meer. Ook 't lawaai is me te veel. Maar bij *Zorba* draaiden ze toen nog wat kalmere en afwisselende muziek. Later op de avond werd het vol, en gezellig. Soms kwam mijn zoon ook. Als ik zat uit te puffen langs de kant zat hij soms even op m'n knie. Een jaar of twintig was hij toen.

Eigenlijk was het dansen begonnen bij de verschillende meditaties waar dansen een onderdeel van vormt: de *dynamische meditatie*, de *kundalini* en de *nataraj*.

Mijn zoon liep al jaren in het rood. Vanaf ongeveer z'n veertiende was hij bij 'de Bhagwan', zoals vrijwel iedereen dat in die tijd (en nog) abusievelijk formuleerde. In 1983, net wonende in Amsterdam, aan de Anna Vondelstraat, kwam ik er eindelijk toe eens een boek van Osho (toen dus Bhagwan) te lezen. Het was een *darshan-diary* en het heette *Hallelujah!* Timothy (mijn zoon) had het mij te leen gegeven. Hij had het boek gekregen op het eerste jaarlijkse festival in Oregon, USA, waar Osho was neergestreken en waar zijn discipelen een nieuwe commune waren begonnen, midden in de woestijn. Ik las de eerste paar pagina's van het boek en was meteen verkocht. Het was een openbaring. Het sprak regelrecht tot mijn hart en tegelijk tot mijn gezond verstand. Ik besloot om het meditatiecentrum van de sannyasins (Osho's discipelen) te bezoeken aan de Prinsengracht. Daartoe moest ik de nodige schroom overwinnen, dat kan ik u verzekeren. Ik begon meditaties mee te doen, te weten de *kundalini* en de *nataraj*. Beide zijn door Osho samengestelde meditaties (speciaal voor de westerse mens), die actief beginnen, met veel dansen en bewegen, en stil eindigen. Osho's redenering is dat de westerse mens niet in staat is stil te worden zonder zich eerst lichamelijk flink in te spannen. Klaar als een klontje. Osho's meest bekende meditatie is de *dynamische meditatie*. Die gaat qua inspanning nog verder dan de genoemde twee en is bedoeld om vroeg in de ochtend te doen. De andere twee zijn middagmeditaties.

Het was een ongelooflijk spannende tijd. Werelden gingen mij open, sluimerende ideeën werden mij bevestigd en ik wist mij tussen mensen bij wie totaal andere waarden voorrang hadden boven de oppervlakkige, materialistische, harde, uitbuiterige en mensonterende 'waarden' van de maatschappij die wij helaas samen hebben gecreëerd en waarin wij elkaar, onszelf en onze mooie leefomgeving te gronde richten.

Al snel besloot ik een weekendgroep te doen in Egmond, bij de *Humaniversity*, waar in die jaren ook Ramses Shaffy woonde. In die groep zag ik Osho voor het eerst op het televisiescherm, in een van zijn duizenden lezingen. Het hele weekend werd er heftig met ons gewerkt en ik deed twee ochtenden de dynamische meditatie mee. Bij de eerste keer dacht ik dat ik dood zou gaan, maar ik ging niet dood. Integendeel, ik was een nieuwe laag van mijn leven aan het aanboren. *# 1 en # 2*

Swami Ramses Shaffy, begin jaren '80.

Na dat weekend wist ik zeker dat ik sannyasin wilde worden. Er moest daartoe een formulier worden opgestuurd naar Oregon (vroeger en ook in later jaren naar de beroemde commune in Poona) en in maart 1984 ontving ik het bericht met mijn nieuwe naam, die nu, afgekort, Pari is. Inmiddels liep ik ook geheel in het rood, hetgeen in die tijd in Amsterdam nogal normaal was.

Ik regisseerde een voorstelling bij toneelgroep Sater: *Tableau de la troupe.* Een tamelijk onbeduidend stuk waarvoor ik te elfder ure was gevraagd en waarvan de vertaling uit het Italiaans bij de aanvang van de repetities nog niet klaar was. Ik was blij dat Els Launspach mij voor die regie de groep binnensleepte. 't Werd een leuke voorstelling.

Drie acteurs en twee actrices die, improviserend, samen een stuk laten ontstaan, maar daar niet echt in slagen, door verschillen van inzichten en door de stroeve relaties tussen hen. De feitelijke boodschap is me ook toen al ontgaan, maar dat gaf niet. 't Is altijd leuk om een voorstelling te maken waarin de grens tussen de acteurs en hun rollen onduidelijk is.

Tableau de la Troupe bij de groep Sater, 1983/'84. Roeland Radier, Hajo Bruins en Francis Wijsmuller.

Foto: Kors van Bennekom.

Roeland Radier speelde er ook in mee. Hij is de broer van Tatiana Radier, met wie ik in *Mama Kijk* speelde, zo'n 17 jaar eerder. Tatiana was een rustige lieverd en een leuke actrice. Ze rookte menthol sigaretten. We zaten dikwijls naast elkaar in de bus. Ook voor de voorstellingen van *Het Laatste Loverbos*, een stuk voor kinderen van Jan Staal, met muziek. Daarin speelde ik Krummel Koks Kippesoep, een eikelmannetje. Met John Soer als Opa Eikelman. En Cor Stedelinck als konijn. Tatiana was een elf, Anja Jansen-Schuiling de kraai, John Smit de indiaan, Truus Dekker de heks en John Kelly de oude kabouter Wiebe Wieringa. Henk van Dijk aan de piano.

Tijdens de speelperiode van *Tableau de la troupe* werd één van de acteurs ziek. Ik mocht hem vervangen. In één weekend de rol opnemen. Bij mijn weten heb ik dat erg goed gedaan, zo'n twintig voorstellingen. Ik kwam dan vaak van de *kundalini* meditatie af, waarbij je dus veel beweegt, en had geen *warming-up* meer nodig.

Vanuit de trein kun je nog steeds het grote naambord van Sater zien, op het eigen oude vierkante gebouw, ook al bestaat de groep al zo'n tien jaar niet meer. Er zaten een paar uiterst hilarische scènes in de voorstelling, 't was leuk daarin mee te spelen.

Eenmaal bij de Nieuwe Komedie vroeg Adrian Brine mij om Romeo te spelen. Terug in de jaren zestig dus… Blijkbaar was hij van mening, na mijn rol in Antwerpen en na Stefan in *Mama Kijk*, dat ik dat aan kon. Er bestond een vertaling die hier en daar niet deugde. Adrian en ik hebben het stuk samen van begin tot eind opnieuw vertaald. Let wel: ik heb het over *Romeo en Julia* van de heer Shakespeare. Een zeer veeleisende extra klus voor ons beiden, waarvoor, in mijn herinnering, niemand ons ooit bedankt heeft. Wie had ons eigenlijk gevraagd om die nieuwe vertaling te maken? Was dat Berend (ik denk het niet) of waren wij er, al werkende, achter gekomen dat de bestaande vertaling niet geweldig was en zijn we domweg maar begonnen hem te corrigeren? Dit laatste zal wel het geval geweest zijn.

Om aan de vertaling te werken heeft Adrian zelfs wekenlang bij mijn ouders in Wageningen gelogeerd, in de zomer. Tijdens de repetities moesten we nog doorgaan met vertalen, tot twee weken voor de première. Dat was voor mij te zwaar.

Romeo en Julia, met Lex Schoorel, Wim de Meijer, Shireen Strooker en Robert Borremans.

Foto: Maria Austria.

Er was ook wrevel in de groep. Adrian vertelde dat dat traditie is bij producties van *Romeo en Julia*, die wrevel, waarschijnlijk doordat er, naast Romeo en Julia, zo weinig echt interessante rollen in het stuk voorkomen... Wieteke van Dort speelde Julia. Robert speelde Mercutio, Shireen de voedster. Frans Koppers was vader Lorenzo en Cor Stedelinck Tybalt. Volgens mij deden wij dat best aardig, samen. De première was in het kleine muziektheatertje Diligentia, met z'n ronde achtermuur. Daar was het slimme metalen decor op gebaseerd. Wel behelpen dus. De naam van de oorspronkelijke vertaler moest in het programma blijven staan...

Wieteke van Dort (Julia), Frans Koppers (Vader Lorenzo), Lex Schoorel (Romeo).
Foto: Maria Austria.

Een aantal jaren daarvoor had ik al eens Tybalt gespeeld in een tv-versie van *Romeo en Julia*, met Carol Linssen als Romeo en Hans Croiset als Mercutio. Ik deed aanvankelijk vrij veel voor de televisie. Zo speelde ik eens de jonge minnaar in de eenakter *Cécile of de school voor vaders* van Jean Anouilh, met Ina van der Molen, jawel, daar is ze weer, en Kees Brusse, in regie van Ton Lensink.

Anouilh is een van mijn lievelingsauteurs. In Hilversum, waar ik veel regisseerde in de jaren zeventig, vertaalde ik *Romeo en Jeannette* opnieuw. De bestaande vertaling van een collega-acteur zat vol fouten en was schandelijk incompleet. Behalve de regie nam ik ook de rol van Lucien voor m'n rekening (op de toneelschool had Ad die rol gespeeld) en regelde ik de 'inrichting' van het decor. Eerder had ik daar al *Antigone* geregisseerd (ook van Anouilh dus). Een mooie voorstelling was dat. Vooral de drie vrouwen in de beginscène, de voedster, Antigone en Ismene. In Amsterdam deden ze dat stuk een keer in de kleine zaal. Daarbij was de rol van de voedster geschrapt. Dat is zoiets als chili con carne zonder carne, of Adam en Eva zonder Eva. Later regisseerde ik in Hilversum ook *Dievenbal*, Anouilh's eerste stuk, en nog steeds zeer geestig. Ik speelde daarin ook een van de dieven, had de kostuums gemaakt en de muziek geschreven, die live door vier mensen op het toneel werd uitgevoerd.

Romeo en Julia heeft mij nog niet losgelaten. Al zo'n dertig jaar geleden, toen ik serieus zanglessen nam en ook maar meteen probeerde om muziek te componeren, ben ik begonnen aan een soort operabewerking van het stuk. Sommige delen zijn klaar. De klacht bij Julia's (vermeende) lijk is ooit door het Radio Kamerkoor gezongen (met mij als een van de leden daarvan) en door de KRO uitgezonden. *# 3*

Regisseur Paul Verhoeven en Lex Schoorel (ridder Roland) bij de repetitie van het riddergevecht.

Als ridders in *Floris* streden Hans Kemna en ik om dezelfde vrouw: Carola Gijsbers van Wijk. In een koude zaal in slot Loevestijn trokken wij om 't hardst aan de lakens en dekens van het bed waarin zij lag te zieltogen. Terzijde stond onder meer een geestelijke, gespeeld door een acteur die gespecialiseerd was in geestelijken, Paul van Gorkum, en die dat met z'n schijnheilige gezicht zo komisch deed dat iedereen (ik vooral) al bij voorbaat de slappe lach kreeg en de opnames vertraging opliepen. Carola zakte door het bed - ook dat nog. Dat was de enige keer dat ik, na de toneelschool, met Carola heb gespeeld. Wel kwam ik haar later nog een keer tegen op de casting van *GTST* in Aalsmeer, nog vóór de eerste opnames van die serie. Ik was gevraagd om daarin eventueel een grote rol te spelen. De Australische regisseur zag mij wel zitten. Ik kreeg de rol niet.

Ik heb het altijd leuk gevonden nieuwe dingen te proberen, nieuwe gebieden te verkennen. Juist met mijn voortdurende angst was het blijkbaar mijn intuïtieve strategie om steeds weer in het diepe te springen. Bovendien had ik aanleg voor verschillende dingen, dat is wel gebleken. Dat is geen verdienste, maar een aardig cadeautje van *existence.*

Ook de keuze om sannyasin te worden is een sprong in het diepe. Je weet bij god niet waar je aan begint. Wat je weet 'weet' je door je gevoel. Je gevoel zegt: er is iets wat klopt, waar ik verder in wil. Het is het begin van een leerproces. En het vertrouwen is er door de 'relatie' met de Meester. De *love affair*.

Misschien is leerproces een verkeerd woord. Overigens is de betekenis van het woord discipel: iemand die bereid is te leren. Maar het proces is eerder een proces van steeds meer begrijpen, van het verkrijgen van inzicht. In alles. Dus zeker niet het vergaren van kennis. Kennis (dus boekenwijsheid) is alleen maar een blokkade tegen inzicht of wijsheid.

Osho en zijn sannyasins vormen geen religie. Allerminst zelfs. Osho heeft er alles aan gedaan om te voorkomen dat zijn uitlatingen, zijn lezingen (die in meer dan zeshonderd boeken zijn vastgelegd en op duizenden geluidsopnames zijn te beluisteren), als grondslag zouden kunnen worden gebruikt voor het ontstaan van weer een nieuwe religie, hoe graag mensen dat ook zouden willen. Osho heeft honderden keren gesproken over de heilloze werking van religies. Ook Boeddha en Jezus hebben nooit de bedoeling gehad dat hun woorden en hun werk zouden worden gebruikt om een religie op te baseren.

Ik noem mezelf religieus in de zin dat ik alles wat *existence* heeft voortgebracht respecteer en dat ik het leven probeer te vieren. Ik noem de mensen die een godsdienst aanhangen niet religieus. Religies zijn een soort verdovend middel waar men in vrijwel alle gevallen bij toeval in terecht komt, namelijk door zijn geboorte. Het zou wereldwijd verboden moeten worden dat een mens zich (eventueel) aansluit bij een religie vóór zijn achttiende jaar. Verplicht achttien jaar nadenken en om je heen kijken alvorens je een beslissing neemt. Religies zijn een excuus voor fanatisme en moordpartijen en het motief voor vrijwel alle oorlogen, en dat al duizenden jaren lang. Voor mij is dat een zeer onreligieus verschijnsel.

Soms durft iemand mij te vragen wat de bedoeling is van de nieuwe naam die je krijgt. Voornamelijk symboliseert de nieuwe naam je bereidheid om te breken met het verleden. Om ruimte te maken voor het nieuwe proces van inzicht vergaren. Ook maakt het anderen duidelijk dat ik niet Pietje of Jantje of Klaasje *ben*. Ik ben niet mijn naam. Mijn naam is slechts een hulpmiddel. Een bord soep is een bord soep omdat wij soms een bord soep willen eten en dan niet een lekke fietsband overhandigd willen krijgen. Maar wie weet betekent 'bord soep' in het Chinees wel 'lekke fietsband'. Mijn vrienden noemen mij nu Pari omdat zij mijn keuze respecteren dat ik niet vastgepind wil worden op de een of andere vastigheid die vroeger Lex heette. Mijn zoon heeft zijn naam zelf veranderd tot Timothy. Lang geleden hadden zijn moeder en ik een andere naam voor hem bedacht. Niemand is zijn naam. Mijn vader koos als kind al een andere naam als die welke zijn ouders hadden bedacht. Hij heette eigenlijk ook Lex, maar iedereen kende hem als Akka. En niemand riep: hó, hó, dat kun je niet maken, daar kunnen wij niet aan wennen, wij voelen ons beledigd... Hij was nog een kind. Maar - verander je naam als volwassene en je vrienden verdampen als sneeuw voor de zon…

Natuurlijk - mijn naamsverandering heeft te maken met Osho. Dat is waar voor de meeste mensen in feite de schoen wringt, denk ik. Bijna nooit is men oprecht genoeg om dit probleem (hun probleem) uit te spreken. Osho wordt door velen beschouwd als een gevaarlijk iemand, vooral door mensen die niets van hem af weten. Zijn boeken zijn in de Nederlandse boekwinkels niet voorradig. Wel te bestellen, maar ze liggen er niet. Toch is Osho degene die het meest zou kunnen veranderen aan de miserabele toestand waarin de mensheid verkeert, wanneer er naar hem geluisterd zou worden. Osho is het uitgesproken genie van de twintigste eeuw. Maar mensen willen niet veranderen. Mensen willen niet gewezen worden op hun domheden, zeker niet wanneer die geworteld liggen in eeuwenlang beleden 'waarden', zeker niet wanneer de vanzelfsprekendheid van Osho's inzichten zo onmiskenbaar is, en daarmee dus ook onze domheid. Waarheid is een niet geliefd goed. Ik ben bereid mijn vooringenomenheden onder ogen te zien. Ik ben bereid te proberen mezelf beter te leren kennen. Om bewuster te worden. Daartoe wil ik oude ideeën en conditioneringen loslaten en ruimte maken voor inzicht. Daarom ben ik sannyasin geworden en daarom heb ik nu een andere naam - als teken van die bereidheid. Dat is alles.

Dat wij in het rood liepen was ook een teken van die bereidheid. En de mala, de kralenketting met daaraan de *locket* met het portret van Osho. Een jaar of vijftien geleden, rond 1986/1987, zijn de rode kleren en de mala afgeschaft, op advies van Osho. De reden daarvoor was dat op allerlei plaatsen in de wereld sannyasins steeds meer getreiterd werden. Er zijn er zelfs vermoord.

Het was zeer opwindend om in het rood te lopen. Ik heb daardoor ook erg goed ondervonden wat het is om gediscrimineerd te worden. Toch hadden de rode mensen zoals ze werden genoemd, wel sympathie in Amsterdam. De sannyasin-disco *Zorba the Buddha* was zeer geliefd. De Amsterdamse bevolking was minder bang voor Osho en zijn zogenaamde volgelingen dan de politici. En niet te vergeten sommige kerkelijke leiders. De aartsbisschop van Kreta heeft letterlijk gedreigd het huis waar Osho tijdens zijn wereldreis logeerde te zullen laten opblazen wanneer hij niet binnen 24 uur het land verlaten zou hebben. Na een verblijf van twee weken in Uruguay moest Osho ook daar vertrekken omdat Ronald Reagan hoogstpersoonlijk dreigde de ontwikkelingshulp voor dat land stop te zetten. De president van Uruguay kwam dit Osho zelf vertellen, met tranen in zijn ogen. In

Londen mocht het vliegtuig van Osho zelfs niet landen om te tanken. Sommige Europese landen verboden het vliegtuig van Osho om door hun luchtruim te vliegen! Drie en twintig landen, *waaronder Nederland*, verklaarden Osho tot ongewenst persoon. Ronald Reagan heeft met z'n tanks rond de commune in Oregon gestaan, klaar om de boel plat te walsen. Osho zelf is in de Amerikaanse gevangenis vergiftigd, na een bewuste martelgang van twaalf dagen langs een tiental verschillende gevangenissen. Vijf jaar later is Osho aan die vergiftiging gestorven. Zo gaan wij om met onze beste mensen. Zie de gehele geschiedenis. Er zijn ook boeken geschreven óver Osho. Eén van die boeken draagt de titel: *Bhagwan Shree Rajneesh - The Most Dangerous Man since Jesus Christ*. Een ander beroemd boek:
A Passage to America. # 4

Osho komt aan in Oregon, USA. 1983.

Mensen vinden vaak dat ik fel ben. Ik denk dat dat wel mee valt. Ik probeer duidelijk te zijn, dat wel. Ik probeer eerlijk te zijn. Men is geneigd die dingen te verwarren met felheid. Dat zegt alles over de lauwe instelling die mensen zich meestal veroorloven in hun leven - niet meer gewend een mening te hebben. Als iemand die dan wel heeft, vindt men die persoon fel. Maar hoe kan ik anders? Het is een kwestie van leven of dood.

Wij hollen met ons allen naar de afgrond, als blinde paarden. Er is iemand die ons daar op wijst. Onvermijdelijk zijn zijn woorden een schop tegen alle denkbare schenen. Dus probeert men alles te doen die man uit de weg te ruimen. Zo is het altijd gegaan. Met Jezus is niets anders gebeurd. Met Socrates, met Pythagoras... Osho doet niets anders als proberen ons wakker te schudden. En hij doet dat met grenzeloze compassie. Ook nog.

Met mijn zeer beperkte mogelijkheden probeer ik iets bij te dragen aan het welzijn van de wereld. Ik probeer mij te onttrekken aan de dodelijke race naar de afgrond. Ook al weet ik dat ik medeslachtoffer ben van deze *global suicide*, ik zal blijven proberen er iets tegenover te stellen. Met een beetje aandacht voor iemand, met een beetje liefde, met het planten van bomen, in plaats van ze te kappen, met mijn liedjes, met een beetje stilte.

Wat Osho probeert te bereiken is dat wij ons best doen om bewuster te worden. Eén van de handvatten die hij ons daartoe aanreikt zijn de meditaties. Er zijn er veel meer dan de drie die ik al noemde. Een mens die stiller wordt, wordt ook bewuster en is meer in staat zijn gezond verstand te gebruiken. En verder raadt Osho ons aan het leven te vieren. *Celebration* is één van de pijlers van zijn advies aan ons. Kijk, daar kun je geen religie op baseren, op het vieren van het leven. Ik vind dat de meest religieuze eigenschap die een mens kan hebben - de duidelijkste dankbetuiging aan een eventuele god: het vieren van het leven. Alle bestaande religies zijn echter gebaseerd op serieusheid en fanatisme. En we weten allemaal waar dat toe leidt. Kijk om u heen.

Een keus tot meer inzicht houdt automatisch in een stap uit de groep, uit de traditie.

 # 1 De Humaniversity bestaat nog steeds en is nog altijd een bloeiend *growth centre*.
 # 2 Tot het einde van zijn leven bleef Ramses discipel van Osho. Hij stierf op 1 dec. 2009.
 # 3 In september 2005 vond in de Paaskerk in Baarn een concert plaats (onder de titel *Romeo en Julia*) met 15 musici, met louter muziek van mijn hand. Daarbij drie grote fragmenten uit *Romeo en Julia*, dit maal bewerkt voor twee zangers, strijkkwartet en dwarsfluit.
 # 4 Van dit laatste boek is kort geleden (2013) een aanvullende editie verschenen. Onthutsende feiten over de samenzwering tegen Osho tussen Reagan en het Vaticaan.

Ina van der Molen en Lex Schoorel in Cécile of de School voor Vaders van Jean Anouilh.

Cécile of de School voor Vaders, van Jean Anouilh. Televisieregistratie, rond 1966. Regie Ton Lensink. V.l.n.r. tussen de donkere mannen: Lex Schoorel, Annabet Tausk, Kees Brusse , Ina van der Molen en een mij onbekende acteur.

DE KONING DIE NIET DOOD KON

Tweede acte - scène 3 (fragment)

Avond. De troonzaal.

(.....)

Ada ziet dat ze in de troonzaal is uitgekomen, en ze ziet de opperminister staan.

Ada: Wat grappig! Ben ik hier? *(De opperminister zegt nog niets).* Ik ben een andere trap opgegaan... er is dus nog een trap.

Opper: Past u maar op - u zult nog verdwalen. Het is donker in het kasteel en de vloeren zijn er slecht aan toe. U zou zich kunnen bezeren.

Ada: U hebt gelijk. Morgen ga ik wel verder op onderzoek.

Opper: Het zou misschien beter zijn indien u morgen zou terugkeren naar uw ouderlijk huis.

Ada: Waarom? Ik ben er net! Ik heb nog lang niet alles gezien.

Opper: Uw aanwezigheid maakt de koning van streek.

Ada: Nee hoor, we hebben ontzettend gelachen bij het eten.

Opper: Dat heb ik gehoord.

Ada: Waarom wou u niet eten? Had u geen trek?

Opper: Nee.

Ada: Als u niet eet wordt u ziek.

Opper: Dat zijn uw zaken niet.

Ada: Waarom noemt u mij "u"? Ik ben pas vijftien. *(De opperminister antwoordt daar niet op).* U bent boos op mij. Dat weet ik heus wel. Ik heb toch niks gedaan? *(een stilte).* Ik ben op de zolder geweest. Daar staat een sjoelbak. Zal ik ‘m halen - zullen we sjoelen?

Opper: Een ordinaire bezigheid.

Ada: Ordinair? Wat is daar nou ordinair aan? Gewoon leuk. U vindt ook niet veel leuk. Ik had een wiskundeleraar. Die vond ook nooit iets leuk. Altijd saggerijnig. Groen was ie, in z’n gezicht, van al dat gepieker. Net een wandelende wiskundesom waarvoor geen oplossing is. Iedere week stond er wel een te janken voor de klas, als we hem hadden. Vond ie leuk. "Potje vergif," noemden we hem.

Op een dag was ie dood. Zomaar, ineens. Had niks, geen

ziekte of zo. Verzopen in z'n eigen vergif, zeker. Iedereen die het hoorde, dat ie dood was, reageerde op dezelfde manier: hè hè! Verder niks. Alleen maar: hè hè! Hij was nog hartstikke jong, om dood te gaan. Zoiets als u. Past u maar op. (*kleine stilte)* 't Is toch leuk om hier te wonen - ik zou wel willen... *(kleine stilte)*
Nou, ik ga maar naar m'n bed. Ik ben moe. En van u word ik ook niet veel wijzer.

Opper: Je praat te veel.

Ada: En u te weinig.

(.....)

Hoofdstuk 4 - Vervreemding

Als ik denk aan Ko Arnoldi realiseer ik me dat ik niets van die man afweet. Toch heb ik een paar scènes met hem gespeeld in *Twee Druppels* en toen ik de film onlangs terug zag was ik blij dat dat destijds gebeurd was. Niet lang daarna moet hij overleden zijn, want hij was al oud, toen in 1962. *# 1*

Even verschijnt iemand in je leven en voor je 't weet zie je hem of haar nooit meer. En je hebt de tijd niet gehad om elkaar ook maar een heel klein beetje te leren kennen. Zelfs de mensen met wie ik enkele jaren lang samen in een theatergroep speelde - vaak heb ik ze al tientallen jaren niet meer gezien en ik heb niet het flauwste vermoeden wat ze al die tijd hebben meegemaakt, of ze iets gevonden hebben waardoor ze het gevoel kunnen hebben dat hun leven de moeite van 't leven waard is geweest.

En de sores die iedereen onvermijdelijk ook te verhapstukken krijgt. Dat is toch zo? Ik vermoed dat iedereen vroeg of laat vette problemen op z'n bord krijgt - al is 't maar door ziektes. Toch willen we aan de buitenkant de schijn laten bestaan dat alles vlekkeloos verloopt.

Een enkele keer laat iemand even zien dat 't allemaal niet zo gemakkelijk is geweest. Alsof heel even de deksel van de pan op een kier wordt gehouden, en daarna snel weer gesloten. K. deed dat even, op die *screentest.* Hij vertelde wat over zichzelf. Over de moeilijke tijden die hij had doorgemaakt. Ik was daar erg door getroffen. K. en ik kennen elkaar maar vaag, ook al zat hij bij Ida in de klas in Arnhem. Ik heb geen idee wat hij in die vijfendertig jaar bij het theater heeft uitgevoerd. In mijn waarneming behoort hij tot de grote groep acteurs die een leven lang bij het vak betrokken zijn zonder dat je ooit echt iets van ze hoort. De grote groep die anoniem blijft, naamloos, geen naam maakt, allemaal mensen die toch zo van het acteursvak houden en die nooit iets anders hebben geleerd...

Want hoeveel halen er ooit de krant, en *als* dat al gebeurt, wie haalt er dan de koppen in een recensie? Maar wat erger is: hoeveel hebben regelmatig werk? En hoeveel zijn er niet die dan in godsnaam maar onbetaald werk aannemen, om tenminste met het vak bezig te blijven? Ik heb vaak gedacht dat het acteursvak het vak is met het hoogste percentage werklozen. Veruit. En niemand praat er over. De acteurs zelf ook niet. We zijn acteur en we hebben geduld en er zal wel weer wat komen. Sommigen zullen misschien een baantje nemen om bij te verdienen. Zoals Eric, die ging borden wassen.

Alleen al het werkloos zijn is een moeilijk te verkroppen leed, waar de acteur maar mee te leven heeft.

Toch is er geen enkel ander beroep waarin de mensen, als ze bij elkaar zijn, zo kunnen uitstralen dat het leven goed is. Acteurs bij elkaar zien altijd de zonnige kant van het leven, zo lijkt het, misschien eenvoudig omdat ze het vak zo leuk vinden. Dat is 't ook. Het is een mooi vak. Ik heb dat zo vaak geroepen, als iemand mij daarnaar vroeg. Als het je lukt om in een soort harmonie met elkaar een aardige voorstelling in elkaar te draaien, waarmee je het publiek blijkt te kunnen behagen, dan is het een leuk vak.

Maar op een *screentest* zeggen we elkaar bijna niet eens goedendag, ook al hebben we elkaar twintig jaar niet gezien. Op dat moment zijn we elkaars concurrent. We komen voor hetzelfde, meestal onbeduidende rolletje. Jouw dood is mijn brood. K. daarentegen was open en wilde iets met mij delen.

Ko Arnoldi. Foto: Ed van der Elsken.

Van Ko Arnoldi weet ik niets. Ik vind dat hij dat rolletje erg goed speelde en hij bracht de bagage mee van een heel leven, wat bij iedere oudere acteur iets extra's is wat je er gratis bij krijgt. Ze hoeven niet zo veel meer te 'spelen'. Met anderen heb ik nog wel eens vaker gewerkt, dus hen kan ik een beetje in een kader plaatsen. Maar Ko?

Ik kan daar wel melancholiek van worden, al die onbekenden die even een paar momenten van je leven hebben gedeeld en daarna weer verdwenen zijn, en die juist *door* die paar momenten die je deelde nog veel onbekender zijn geworden.

Ko Arnoldi speelde de dokter van mijn moeder (Liesje Hoomans) en mij. Prachtig. Andere oude acteurs? Ik herinner me een scène van Albert van Dalsum in een tv-serie naar een boek van Louis Couperus. En ik herinner me een scène uit *Iwanov* van Tsjechow in de stadsschouwburg van Amsterdam - die twee oude mannetjes die over bijna niks zitten te praten, aan één bureau. Het hoogtepunt van de voorstelling. Ze hebben 't geloof ik over augurken en kaviaar. Of de scène tussen Jan Retèl en Ton Lensink in *Armoede*, in een van de laatste afleveringen. En wat te denken van Lo van Hensbergen als de professor in *Oom Wanja*. Schitterend!

Veel mensen die ik tot nog toe heb genoemd zijn al dood. Hooguit de helft van de cast van *Twee Druppels* leeft nog. De schrijver van het boek *De Donkere Kamer van Damocles*, W.F. Hermans, is ook dood. Fons is nu 80 en woont in Toscane, of in Rome, heb ik gehoord. *# 2*

Na de uitzending van de tv-serie *Armoede*, dus in 1983, kreeg ik een aantal ontzettend lieve brieven van mensen die mijn rol daarin zo waardeerden. Ook een paar interviews. Ik bestond ineens weer. Ik was toch zanger geworden? Op het station in Hilversum kwam ik René Lobo tegen. Hij zei dat hij m'n rol in *Armoede* zo prachtig vond. Aardig. De enige reactie van een collega die ik me kan herinneren. René is acteur en regisseur. Ik ken hem van m'n twee jaar bij Theater in Arnhem, begin jaren zeventig. We speelden daar samen een scène in *Het Proces* van Kafka.

Bij Theater was Liesje Hoomans de artistiek leidster. Ik wou toen van alles, vooral regisseren. Ik moest geduld hebben, zei ze. Dat is niet waar, dacht ik - jij moet naar mij luisteren en jij moet mij helpen - om de één of andere reden wil je dat niet... Ik was over de dertig, inmiddels, maar zag er nog steeds erg jong uit. Dat was een nadeel. Want er waren ladingen jonge acteurs van de toneelscholen gekomen in die ruim tien jaar, en die gingen voor. En voor rollen van mijn eigen leeftijd kwam ik niet in aanmerking, want ik zag er te jong uit...

Het leven had mij in die tijd aardig in de kladden gegrepen. Ik had mezelf een nieuw huwelijk op de hals gehaald en daardoor plotseling een gezin met vier kinderen. Onze nieuwe dochter, mijn zoon uit m'n eerste huwelijk en twee jongetjes die Mary meenam uit háár eerste huwelijk. Dat was wat veel. Met mijn immer wankele gezondheid was ik voortdurend op 't punt van afknappen. Destijds begreep ik niets van waar al mijn klachten vandaan kwamen. Dat maakte me behoorlijk wanhopig, weet ik nog wel. Ik kon doorwerken, maar het kostte zo veel moeite.

Desalniettemin draaide ik mee in een flink aantal grote producties, zonder veel voldoening en met het oude 'kruimelwerk' (Shakespeare, Brecht, Kafka, Vondel en die verschrikkelijke productie van *De brave soldaat Svejk*).

De Getemde Feeks, toneelgroep Theater, 1970, Met Henk Schaer, Ab Abspoel, Lex Schoorel en Jan Apon.

Toneelgroep Theater was in die jaren een voorloper in het nieuwe begrip democratiseren. Iedereen mocht over alles meedenken. Dus woonde ik veel repetities bij van Vondel, want dat was het grote democratische experiment. Opvallend was dat de jonge ambitieuze regisseurs bij de groep dat juist niet deden. Zij zaten te kaarten in de kantine zolang ze niet aan de beurt waren als acteur. Zij waren verstandiger dan ik. Een paar keer deed ik na afloop van de repetitie m'n mond open. Dat leidde natuurlijk tot niets, behalve dan tot mijn verdere isolement.

Treurig was dat. Ik werd daar zeer bedroefd van. Ik begreep er ook niets van. Eigenlijk nog steeds niet. Ik was bereid om erg m'n best te doen en om m'n toch onmiskenbare talenten ter beschikking te stellen van de groep, maar mij werd de kans niet geboden. Ik had het gevoel dat men mij, in die dagen bij Theater, als een lichtelijk gevaarlijke zonderling beschouwde.

Wanneer ik de repetities van dat Vondelproject bijwoonde, en ik zag dat er belangrijke dingen werden overgeslagen (bij voorbeeld dat de passie in de scène tussen Adam en Eva geheel ontbrak, dat het alleen maar een technisch handig gedoetje was, wat de acteurs lieten zien), dan brandde ik van verlangen om dat te zeggen, om mijn gevoel en inzicht te laten spreken. Pas na afloop van zo'n repetitie mocht je even je mond open doen, tegenover vier mensen achter een tafel (als een auditiejury), en dat werkte natuurlijk niet. En de argwaan naar mij toe. De angst dat het wel eens kon kloppen wat ik zei. Je kunt natuurlijk zeggen dat ik mij dat allemaal verbeeldde, destijds, doordat mijn zenuwen in die periode extra alert waren. Ik geloof niet dat dat waar is. Ik geloof dat ik de dingen erg helder zag, toen. Te helder naar de zin van de regenten.

Het was ook de tijd van de opmars der dramaturgen. Zij profiteerden het meest van de 'democratisering' en waren bij sommige gezelschappen min of meer de baas. Liesje was een schat, een zeer goede actrice, maar als artistiek leidster geen rots in de branding. God hebbe haar ziel. *# 3*

Inmiddels was ik begonnen tijd te steken in mijn muzikale interesses en in wezen al bezig de overstap naar de muziek te maken. In de schouwburgen, gedurende de lange periodes dat ik niet op hoefde, zat ik mijn thuis in het klad geschreven muzieknoten in het net te reproduceren, wat ook niet veel sociaal contact opleverde. Nog altijd besteedde ik, in een lege ruimte van de schouwburg waar wij speelden, vóór de voorstelling een uur aan het losmaken van lijf en stem, zoals ik van den beginne in Rotterdam al dagelijks deed. Ook daarin was ik een uitzondering. Krijgt u een beeld van de eenzaamheid?

Ik was ijverig, altijd ijverig. Ik zorgde er voor dat ik m'n stem en m'n lijf in conditie hield (ter wille van die paar zinnen die ik per voorstelling mocht uitkramen), ik had een nieuwe hobby waar ik tijd in stak (de zangstudie en het componeren) en alles wat ik deed verwijderde mij verder van de groep waarvan ik verondersteld werd deel uit te maken. Ik vervreemdde totaal van het toneelwereldje. Mijn engagement gaf mij een salaris. Laten we aannemen dat dat in die twee jaren een goed argument was het nog even vol te houden. Daarna ben ik weggegaan bij Theater en er volgden een paar jaar armoede. SD uitkering en een gezin met vier kinderen.

Toch was het geen slechte tijd. We woonden vier jaar lang in het huis van mijn ouders (zij zaten in Indonesië) en de kinderen hadden de leuke opgroeileeftijd van peuter en lagere school. Ik werkte veel in de grote tuin, ik studeerde regelmatig met de pianist Steven Hoogenberk en ik begon als zanger op te treden. Toch was ik vaak somber. Ik had daar geen verklaring voor. Wat ik wist, was dat het mij zeer bedroefde dat het met mijn acteurscarrière zo raar was gelopen, maar ik wist ook dat daar niet al mijn somberheid vandaan kwam.

In de zomer na *Romeo en Julia* en *Het Laatste Loverbos* (1967) kon ik m'n eerste professionele regie doen. Een stuk van Pinter: *De Dwergen*. Alweer door mijzelf vertaald - de bestaande vertaling was slecht. Drie mannen. John Smit, Jérôme Reehuis en Luc Boyer. De laatste was eigenlijk mimespeler. Ik had met hem in een productie over Mozart gestaan, in Haarlem, waarin ik heel veel teksten riep, op een soort podium in de zaal, zoals later Bette Midler wel es deed in een film, en ergens achter mij was Luc bezig allerlei ingewikkelde door hem zelf verzonnen choreografieën te dansen, in z'n eentje, die het publiek moesten helpen begrijpen waar het over ging. De auteur van het geheel was een hoorspelregisseur met wie ik regelmatig werkte, Ab van Eyk, die een aantal jaren later ook de tekstregie deed van *l'Histoire du Soldat*, waarin ik de soldaat was en Lou Landré de duivel. Ik kon dat goed, want ik kon een partituur lezen. En Strawinsky is best ingewikkeld, zoals u weet. Ik vroeg Luc dus om mee te spelen.

Jérôme had ik als acteur leren kennen in België, bij een tv-productie van iets Grieks en gruwelijks, verzonnen door Hugo Claus en ook in diens regie. John Smit zat bij de Nieuwe Komedie, net als ik. Behalve dat ik hem als Indiaan had leren kennen in het *Loverbos*, kwam hij mij als Balthasar in *Romeo en Julia*, op mijn verbanningsadres in Mantua, vertellen dat Julia dood was, hetgeen, zoals u misschien weet, op dat moment niet waar is, terwijl ik juist leuk aan het publiek had verteld hoe aardig ik had gedroomd, en dat 't dus wel erg goed zou gaan met Julia.

De première van *De Dwergen* was in Mickery, een boerderij in Loenersloot. Het publiek zat rondom. Min of meer gewone scènes wisselden zich af met min of meer poëtische scènes, waarbij Jérôme, luidkeels declamerend, steeds hoger in een touwladder klom. Hij was geknipt voor die rol, Jérôme. Maar ook Luc en John waren erg goed. John vooral omdat hij, *casualy* acterend, zo goed sjekkies kon draaien en opsteken, Luc omdat hij van zichzelf een interessant iemand is. De mooie foto's van de voorstelling waren op mijn verzoek gemaakt door Philip Mechanicus, die toen bijna mijn buurman was, in Amsterdam. Hij deed dat gratis, als vriendendienst.

Laaiende recensies. Adrian en Hans hadden er van gehoord in Griekenland, tijdens hun vakantie, en zonden mij hun gelukwensen met het feit dat ik als regisseur nu in één rijtje thuis hoorde met Ton Lutz en Adrian zelf.

John had zakeninstinct en besloot de voorstelling, na de eerste serie van zeven in Mickery, door te verkopen in 't land. 't Liep als een trein. De laatste voorstelling was in De Brakke Grond (uitverkocht!). De touwladder kon daar lekker hoog hangen, in z'n volle lengte ontrold. Jérôme klom er moedig in en besloot volgens afspraak zijn rol ondersteboven hangend, zeer symbolisch, begreep iedereen, en ondertussen z'n leven wagend.

Met onze voorstelling van *De Dwergen* hadden wij Mickery op de wereldkaart gezet. Het was de allereerste voorstelling van Mickery, dat één of twee jaar later verhuisde naar Amsterdam en jarenlang vernieuwend theater bracht. *Wij* gaven de eerste aanzet tot dat succes. Niettemin hoorde ik nooit meer iets van de leiding van Mickery, na *De Dwergen*.

De Dwergen, van Pinter. Met Jérôme Reehuis en Luc Boyer. Foto's: Philip Mechanicus.

Berend Boudewijn wilde graag de musical *The Fantasticks* (inderdaad met *ck*) opvoeren met ons groepje. Daarin wordt nogal wat gevraagd aan zangvaardigheid van de acteurs. Eén van de actrices, Mary Wagenaar, had al jarenlang zangles en blijkbaar heerste de opvatting dat ik ook wel aardig kon zingen. Dus werd *The Fantasticks* op het repertoire genomen. Mary en ik speelden het meisje en de jongen, de hoofdrollen dus, met de redelijk zware zangpartijen. Joop van der Donc en Frans Koppers de resp. vaders, Cor Stedelinck de verteller en Henkie Votel en *good old* John Soer speelden er ook in mee. Piano (Henk van Dijk) en harp vormden de begeleiding.

Frans Koppers was een komisch acteur en een leuke collega. Hij kon fantastisch vertellen. Eén van zijn favoriete verhalen was over zijn oom, in de oorlog. Door honger gedreven ving die oom, met de hand, uit het dakraampje, *meeuwen.* Vanzelfsprekend illustreerde Frans zijn verhaal met mimiek en gebaren, en iedere keer was dat oerkomisch.

Mary Wagenaar *Lex Schoorel*

Foto: Maria Austria.

The Fantasticks heeft een uiterst simpel verhaaltje. Een groep acteurs verschijnt met één grote mand met rekwisieten en kleding op het toneel en met de inhoud van die mand suggereren ze alles wat ze nodig vinden. Een bezem die even horizontaal wordt gehouden is de muur die de gelieven scheidt. Uiteindelijk vinden ook de beide vaders het prima dat de twee jongelui elkaar in de armen sluiten.

Deze charmante eenvoud werd in onze voorstelling geheel om zeep gebracht. Er was een heuse, beroemde en ongetwijfeld dure decorontwerper aangetrokken die niet wist hoe hij met deze opdracht zijn gage moest waarmaken en er dus maar voor koos een stuk beschilderde luxaflex op het toneel te hangen, die je dan kon omklappen, zodat er een ander plaatje verscheen. Alles bij elkaar dus twee plaatjes. Daarboven waren twee schermpjes geplaatst, waarop met enige regelmaat teksten werden geprojecteerd die niet met de inhoud van het stuk te maken hadden.

Tegenwoordig heb je ondertitelde (of boventitelde) operavoorstellingen - dat lijkt nog een soort zin te hebben voor de verwende tv-kijker die per ongeluk in het theater is beland. Onze decor-ontwerper en onze regisseur waren vast en zeker hun tijd vooruit.

Als muur stond er een vrij hoog rechthoekig blok, met bakstenen er op geschilderd. Een muur dus. Daar sprong ik zo nu en dan op, met behulp van een stoel, om een dialoog te kunnen hebben met mijn geliefde in de verboden tuin. Dat blok viel dan bijna om, maar steeds net niet. Op zo'n moment misten de toeschouwers een paar geprojecteerde teksten, ben ik bang (valt-ie wel of valt-ie niet?).

Tijdens de repetitieperiode was veel slecht of niet georganiseerd. Zo ontbrak er een choreograaf, die ons zo nu en dan tenminste wat simpele pasjes kon laten maken in een soort schijnbaar bedoelde volgorde. Het was tenslotte een musical. Uit pure radeloosheid of omdat hij het te druk had met andere zaken (?) verscheen Berend, onze regisseur, zelf niet altijd op de repetities. Toen wij hem daar eens over aanspraken gaf hij het gouden antwoord, dat voor eeuwig bewaard zal blijven in de sferen rond deze aarde: *"Ik heb jullie door de muur heen gehoord."* (Het kantoor waar hij had zitten werken was naast de repetitieruimte waar wij hadden zitten werken.)

Henkie Votel, Lex Schoorel, John Soer. Foto: Maria Austria.

Halverwege de repetitieperiode stuurde ik de directie van onze toneelgroep een telegram dat ik niet meer op de repetities zou verschijnen zolang die en die zaken niet werden geregeld. Vier dagen lang hoorde ik niets. Toen kreeg ik een telefoontje van iemand op kantoor (!) of ik alsjeblieft weer wilde komen en dat het een en ander verbeterd zou worden. Inderdaad kwam er een choreograaf, een jonge danser van het Nederlands Danstheater. Verder veranderde er niet veel.

Naarmate de première nabijkwam nam de paniek toe. Liedjes en 'aria's' waren aardig ingestudeerd, maar niettemin erg moeilijk. Pasjes en spel en zang en begeleiding en de grapjes in de aankleding moesten bij elkaar komen en dat was niet niks. Natuurlijk twijfelden wij allemaal aan de goede afloop.

Berend en de decorontwerper (Nicolaas Wijnberg, van wie ik ooit een paar schitterende decors zag bij stukken van Bredero) hadden veel avonden in Amsterdam bij elkaar gezeten om grappen te verzinnen en Berend vertelde ons dikwijls hoe leuk die avonden waren. Iets nuttigs voor de productie leverde dat niet op.

In de laatste week kwam Wijnberg bij de repetities. Ik neem aan dat hij zag dat er een aardig en eenvoudig verhaaltje om zeep werd geholpen, mede door zijn onnozele bedenksels, en hij zal ook wel door hebben gehad dat de vele leuke grappen die het aardige verhaaltje nog leuker hadden moeten maken, òf niet terug te vinden waren in de voorstelling, òf niet werkten. En vermoedelijk geneerde hij zich, bij het zien van het voorlopige resultaat, voor zijn gage. Uit pure wanhoop voor de dreigende geboorte van een wangedrocht, ging hij zich met de muziek bemoeien. Zo is er in de muziek van *De Fantasticks* op een bepaald moment een door de componist geschreven pauze, een stilte (een rust is het eigenlijke woord), waar in de muziek heel goed naar toe gewerkt wordt.

Stiltes zijn in de muziek eigenlijk nog wezenlijker dan geluid, dat weet iedereen die van muziek houdt, en de componist van deze musical was geen amateur. Plotseling wist Wijnberg te bedenken dat die stilte er maar uit moest. Ik ontplofte van woede. Berend zweeg. Ik verwachtte dat de doorgewinterde musicus Henk van Dijk in een enkel woord aan Wijnberg zou uitleggen dat zijn suggestie erg dom en onverantwoord en onuitvoerbaar was (en waarvoor overigens ook nog eens de toestemming van de componist verkregen had moeten worden), maar Henk zweeg ook en leek te zwichten voor het idee van Wijnberg. Dus ontplofte ik nog meer. Ik weet niet meer wat ik heb gezegd, maar heftig was 't zeker. En 't hielp. De pauze in de muziek bleef erin, zoals de componist het geschreven had. Ik was de enige die tegen de grote Wijnberg iets durfde in te brengen.

De zeer muzikale en gevoelige Mary leed al die tijd al maar zij liet alles voornamelijk over zich heen komen. Ondertussen was ze zo nu en dan totaal overstuur, bijvoorbeeld toen haar op een van de generales (tijdens het spelen) plotseling een vreselijk lelijk wit plastic masker in de handen werd geduwd, waarmee ze die scène maar moest vertolken. Ze zag het ding, kreeg de grootste shock die ik een collega ooit heb zien krijgen op een repetitie en gooide het masker ver weg. Het mooiste wat ik haar ooit heb zien doen, maar wel een daad van uiterste wanhoop, en schandelijk dat 't zover moest komen.

Natuurlijk sleepten wij er een aardige voorstelling uit. Het aandeel van de acteurs was goed gekend, en het publiek was onder de indruk van de muziek en de zang. De vaders Joop en Frans zongen een paar vrolijke duetjes, met pasjes. Onlangs trof ik in het opgedoken plakboek van mijn moeder een groot aantal recensies aan van *De Fantasticks*. Deze waren zonder uitzondering positief. Men prees vooral het vrolijke spel van de acteurs en de goede zang van een aantal spelers, met name Mary Wagenaar, Cor Stedelinck en Lex Schoorel. Van de laatste meenden een paar journalisten te moeten concluderen dat hij een professionele zangopleiding achter de rug moest hebben… Door strubbelingen in de leiding van de groep en daarmee samenhangende wan-organisatie, hebben wij deze dure voorstelling hooguit een keer of vijftien gespeeld.

We zongen zonder microfoons. Alle technische hulpmiddelen die musicalartiesten tegenwoordig tot hun beschikking hebben (en die het totaalgeluid vaak zo vreselijk plat en ongenuanceerd maken) - daarvan hadden wij niets. Meestal was dat ook niet nodig. De meeste (oude) zalen hebben een goede akoestiek. Een uitzondering vormde bijvoorbeeld de (toen nog vrij nieuwe) schouwburg in Middelburg. Die is zo droog, dat je stikt bij de eerste noot.

Mary was al jaren eerder bij de Nieuwe Komedie-Arena gekomen. Nog in de tijd dat Erik Vos er de artistieke man was. Op de middelbare school zag ik *De Gecroonde Leerse* van hen. Enig! Op een oud boekje dat ik laatst kocht in de kringloopwinkel, trof ik een foto van haar aan, met Peter van der Linden, in een zeventiende-eeuwse (of oudere) klucht: *Nu Noch*. Na *The Fantasticks* was ze 't zat. Ze hield op met spelen. Bovendien droeg ze na onze vakantie op Terschelling onze dochter in haar buik. Die dochter is nu één en dertig (in 2001).

Men heeft mij wel eens gevraagd of ik niet een erge perfectionist ben. Die formulering impliceert dat perfectie erg is. Maar los daarvan – ik weet niet of ik een perfectionist ben. Ik vind wel dat mensen die pretenderen professioneel bezig te zijn en die daar ook goed voor betaald krijgen, professioneel werk moeten afleveren. En kijk eens om u heen. Er wordt in dit rijke land voornamelijk geklooid. Miljoenen guldens worden dagelijks weggegooid aan geklooi. En vervolgens nog eens miljoenen guldens aan commissies, die het geklooi moeten analyseren en aan de kaak stellen, als de klok niet meer is terug te draaien. In het kleine gebiedje waarvan ik deel uit maakte en waarvan ik verstand had, kon ik niet accepteren dat er geklooid werd. In de eerste plaats omdat mijn eigen prestatie daaronder te lijden had. In de tweede plaats heb ik daarvoor te veel smaak en kwaliteiten in huis, inzicht zo u wilt, en ten derde vind ik het een belediging. Als leiding van een theatergezelschap of van een toneelproductie kun je je niet veroorloven amateuristisch te werk te gaan.

En dat gebeurde. Dat gebeurt vaak, helaas. Het is een belediging voor alle mensen die voor je werken. Voor de intelligentie, de artisticiteit, het vakmanschap en de goede wil van die mensen.

Goed. Misschien zal niet iedereen zich dat even snel of even duidelijk realiseren – in elk geval was *ik* in veel van dit soort situaties degene die amateuristisch gedoe niet pikte. Daarmee nam ik het vaak op voor de hele troep. Verderop in mijn verhaal zal ik daar nog meer voorbeelden van geven. Ik geef toe dat dat niet een manier is om je bij directies geliefd te maken. Maar wat moest ik anders? Ik kan mezelf niet verloochenen. *# 4*

Het Laatste Loverbos, van Jan Staal. Cor Stedelinck en Lex Schoorel.
Foto: Maria Austria.

\# *1* Ko Arnoldi is overleden op 14 juni 1964, dus twee jaar nadat ik met hem speelde.
\# *2* Van alle medewerkers aan *Twee Druppels* zijn er nu, in 2013, nog slechts drie in leven. Zie voetnoot # *1* na het eerste hoofdstuk.
\# *3* Elise Hoomans speelde mijn moeder in de film *Als Twee Druppels Water*. Ze deed dat uitstekend. Zij zou de ideale vertolkster geweest zijn voor de rol van de meid in het stuk *De Koning die niet dood kon*. Elise is overleden op 1 september 1991.
\# *4* Ook professionele (goed betaalde!) musici kunnen zich schuldig maken aan amateuristisch geklooi. Zoals ik ondervond bij concerten met mijn eigen muziek. Zie daarover de verhalen in mijn *BOEK II*.

DE KONING DIE NIET DOOD KON
Tweede acte - scène 6 (fragment)
Zaterdagochtend, de troonzaal.
(.....)
Ada: (*barst uit)*: 't Is niet eerlijk, 't is niet eerlijk! *(Ze huilt hartstochtelijk).* Die man... die man wil... Mijn opa is een lieve man, hij heeft nooit iemand kwaad gedaan en die man wil... dat ik wegga uit het kasteel want anders... *(ze huilt)* Hij is uw beste vriend, majesteit, misschien wel uw enige vriend, dat moet u niet vergeten... *(ze huilt)* En als u niet zo stom was geweest om oorlog te voeren had Adelaide misschien nog wel geleefd... 't Is uw eigen stomme schuld dat ze dood is... *(ze huilt)* En als u hem *(ze wijst nu voor het eerst naar de hofnar)* iets doet maak ik me van kant! *(Ze kruipt huilend weg bij de meid, maakt zich dan weer los, beukt met haar vuisten op de tafel, huilend, pakt een bord en gooit het kapot op de grond.)*
Dáár, en dáár *(nog een bord)* en dáár *(nog een bord)*! Stelletje idioten! *(Ze kruipt weer weg bij de meid die haar op schoot neemt.)* Net of je iemand niet lief mag vinden... 't is niet eerlijk! *(ze huilt – iedereen laat haar huilen.)*
De koning en de hofnar staan perplex. De meid blijft sussende geluiden maken. Na een tijdje wordt het huilen zachter.
Koning: Begrijp jij wat ik niet begrijp, nar?
Nar: Jawel, majesteit. *(Kleine stilte. Met moeite legt hij uit:)*
De opperminister heeft een dagboek van koningin Adelaide. Daar staat in dat de koningin een kind verwachtte. Dat kind is geboren. Dat kind was Geertje.
Koning *(mompelt)*: Geertje een kind van Adelaide... en Ada een kleinkind van Geertje...
Nar: Uwe majesteit was al twee jaar weg toen het kind geboren werd...
Koning: Het kind was niet van mij...
Nar: Bij de geboorte stierf Adelaide...
Koning: Dus jullie hebben gelogen...
Nar *(fluistert):* Jawel, majesteit...

Koning *(na een stilte, zacht)*: Wie was de vader?
Nar *(fluistert)*: Ik majesteit...
Koning *(zacht)*: Jij?

Er volgt nu een lange stilte, waarin de koning van alles verwerkt, soms loopt, soms stil staat, naar de nar kijkt, naar Ada kijkt en uiteindelijk op de troon gaat zitten. De hofnar zit ineengedoken zijn vonnis af te wachten. De meid en Ada (die inmiddels niet meer huilt) kijken gespannen naar de koning.
Als de koning even op de troon zit begint hij zacht, onhoorbaar te huilen, met gesloten ogen. Ada staat op en loopt naar hem toe, schuift de andere troon naast de zijne en gaat daar op zitten. Ze pakt een hand van de koning en houdt die vast. Zo zitten ze een tijdje. Dan kijkt de koning naar Ada en zij naar hem. Hij zegt zacht:

Koning: Je hebt gelijk. Je mag iemand best lief vinden. *(kleine stilte)* Als dat al niet mag... *(kleine stilte)* Dus de minister wilde jou wegjagen... een kind van Adelaide... of anders het dagboek van Adelaide aan mij laten zien... zodat ik de hofnar zou straffen... *(kleine stilte)* Roep hem binnen.

(.....)

Hoofdstuk 5 - Oud vuil

Voor de derde keer woonde ik in Arnhem. Ik hou van Arnhem. Arnhem Noord natuurlijk. Met z'n heuvels, parken en bossen. Binnen anderhalf jaar woonden Manjula en ik op 't vierde adres, de Anthonielaan, boven een garage. Het was 1989.

Het was zomer en zondag. We maakten een lange wandeling door Sonsbeek en Zypendaal. Ondanks haar pijnlijke rechterkant kon Manjula dat nog. We besloten dat we maar weer eens een toneelstuk moesten verzinnen. Na een paar uur wandelen waren de personen en het basisplot bekend. Drie weken later waren de eerste drie aktes klaar. De vierde en laatste acte moest nog even wachten, want Manjula kreeg een hersenbloeding. Natuurlijk in een weekend. Het duurde vier uur voordat de dokter kwam. In coma belandde ze in het ziekenhuis. De scan toonde aan dat er een knoert van een tumor zat. Niet te opereren, veel te diep, zei de dienstdoende neuroloog.

Ruim een jaar later schreef ik de vierde acte. In Hengelo. Daar woonden we toen. In een echt huis, in een wijk waar alle armoedzaaiers bij elkaar worden gestopt. Veel buitenlanders dus ook, en alleenstaande moeders. We hadden ook een hond, een jaar later, Vivek. Ze kwam als pup bij ons. Zij was Manjula's bewegingstherapeut.

Een chirurg in Nijmegen wilde 't toch wel proberen. Manjula kwam na een dag of drie weer bij kennis - nu was 't drie weken later. Ze besloot wel te willen blijven leven. De chirurg, mevrouw Bakker, zei de avond voor de operatie: je haar moet er af. Blijkbaar vond ze dat spijtig. En ze zei: natuurlijk zijn er risico's. Je kunt blijvend verlamd raken, of dood gaan. Dat weet ik wel, zei Manjula, probeert u 't maar.

Acht uur duurde de operatie. Ze zaagden een gat in haar schedel van tien centimeter in 't vierkant.

Tijdens de operatie deed ik een auditie bij het Theater van het Oosten, in Arnhem. Voor een Engelse regisseuse. Ik speelde een monoloog uit ons nieuwe stuk: *De Koning die niet dood kon*. In 't Nederlands natuurlijk. De Engelse mevrouw begreep er niets van.

Toen Manjula bij kwam, op de *intensive care*, stond ik aan haar bed. Dokter Bakker kwam er bij. Til je rechterbeen es op, vroeg ze. Manjula deed dat, een klein stukkie. Goed zo, zei mevrouw Bakker, en liep weg.

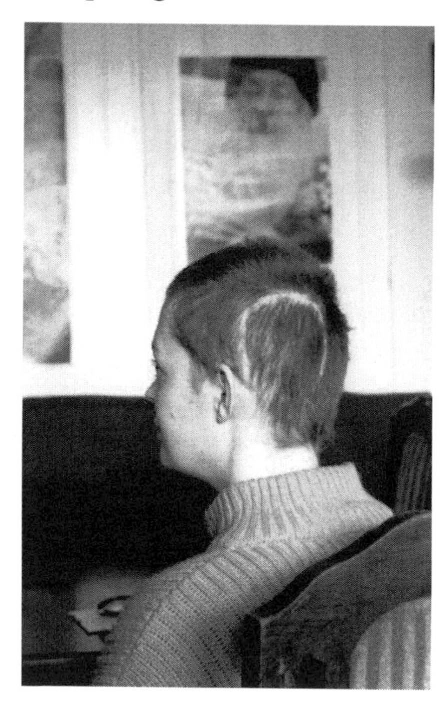

De rol in het stuk van de Engelse mevrouw heb ik niet gekregen. Een jaar later bestond er een goede Engelse vertaling van ons stuk: *The King who couldn't die*.

Twee weken na de operatie mocht Manjula naar huis. Hoe? Dat zoekt u zelf maar uit. Het werd dus een taxi. We woonden twee hoog. Ze kon nog bijna niet lopen. Nazorg? Wat bedoelt u nazorg? Daar is geen geld voor. Ze is toch weer gezond?

Boven: Manjula een maand na de operatie.

Rechts: Manjula een paar weken voordat de tumor zich openbaarde.

Een paar maanden na de operatie kwamen we weer voor het eerst bij Manjula's boom, in het Rozendaalse bos. Een grote beuk op een driesprong van zandpaden. Manjula zat vaak even tegen die boom, bij onze wandelingen. 't Was haar boom. Soms moest ze de boom even *huggen*. Uit 't Engels, *to hug*. Omhelzen.

Sommige mensen kunnen energie krijgen van bomen, iedereen natuurlijk, al wandel je maar door een bos. Maar bij sommige mensen is dat nog directer.

De grote middelste tak van de boom, hoog boven de grond, was afgebroken. Breeduit lag ie naar de grond met z'n kruin. Alleen die tak. Op de plaats van de breuk zo'n halve meter dik. Een gezonde tak. De andere takken hadden niets. Er was geen storm geweest. Zo te zien was het een aantal maanden daarvoor al gebeurd.

Wij hadden een buurman die niet meer werkte, in Hengelo. Hij was nog niet zo oud, een jaar of vijf en veertig. Hij knipte wekelijks de hoge achterheg van zijn tuintje en hij had tuinkabouters in de tuin. Zijn vrouw kwam bijna niet op straat, ze was mensenschuw. Op een nacht overleed de man aan een hersenbloeding. Een paar dagen later, 't was avond en al donker, liet ik onze hond Vivek uit, via onze achtertuin. Een paar meter voor het hekje zagen wij hem, tegelijk, Vivek en ik: onze buurman, knippend aan z'n heg, in een soort licht, of als een soort licht. Wij schrokken ons een ongeluk en Vivek rende weer naar binnen. Ik ook. Manjula stelde voor dat wij samen even sterk aan hem zouden denken en proberen hem ervan te overtuigen dat 't goed was dat hij weg ging. De dagen er na keek Vivek steeds of hij er toevallig weer was, de buurman, ook overdag. 't Gebeurde niet meer. De vrouw van de buurman fleurde op en zij en haar dochter kochten een hondje, een labrador pup. Ze kwam steeds meer op straat, de vrouw. We hebben 't haar maar niet verteld, dat van haar man.

Shireen Strooker speelde de kroegbazin, de hoofdrol dus, in *The ballad of a sad cafe*, van Albee. Rond 1967. Henkie Votel was haar voornaamste tegenspeler. Ook Wim de Meijer speelde een echte rol, en Jan Staal, meen ik, en ik geloof dat Robert Borremans een soort verteller was. Verder speelde de hele toneelgroep mee. Ik ook, als dorpsgek. Pas toen ik bij de toneelkapper een klein zwart pruikje had opgezet, een paar weken voor de première, kon ik die rol spelen. Op de foto's oog ik als een uitnemende dorpsgek.

The ballad of a sad café, van Edward Albee. Boven op de trap de dorpsgek Lex Schoorel. Foto: Maria Austria.

Bij één scène in *The ballad* was iedereen op het toneel. Dat was linke soep. Er kwam namelijk een moment waarop een jonge actrice haar ene zin moest zeggen. Bij het horen van die zin kregen sommige mensen altijd de slappe lach, iedere voorstelling opnieuw. Dat is vreselijk, maar er is echt niets aan te doen. Eigenlijk is er dan niks leuks aan de hand, maar het gebeurt gewoon. De jonge actrice kon 't ook niet helpen. Haar zinnetje was: *Dat is een ding dat zeker is*. Helemaal niet leuk dus. Vergeet 't maar. Dolkomisch. Ik vergeet nooit 't gezicht van Willem Wagter.

In Etten-Leur speelden we *Het Laatste Loverbos* twee keer achter elkaar. Met een pauze er tussen van een uur. Halverwege de eerste voorstelling kreeg ik de slappe lach (waarom weet ik natuurlijk niet) en halverwege de tweede voorstelling was 't pas over. Vreselijk. Pijn doet 't. En je kunt er niets tegen doen.

Zo zijn er ook acteurs die niet met elkaar in één scène kunnen staan zonder de slappe lach te krijgen. Ik heb dat zien gebeuren bij

Joop Admiraal en Guido de Moor. We repeteerden in Mickery. Een stuk voor de TV in regie van John van de Rest. Ton Lutz nam daarin een rol over van Frans van der Lingen. Frans was heel ernstig gewond geraakt bij een auto-ongeluk. Hij reed altijd in een 2CV. Bij ongelukken zijn die nogal kwetsbaar. Een paar jaar later was Frans weer heel en mocht hij weer een rolletje spelen bij zijn gezelschap, de Haagse Comedie. Ik herkende hem haast niet. Z'n mooie donkere stem was ook veranderd. Weer een paar jaar later is hij toch nog dood gegaan, misschien pas vijftig jaar oud.

Na de goede ervaring met *De Dwergen* wilde ik erg graag weer regisseren. Ik wist dat ik dat goed kon. De Nieuwe Komedie leek me een geschikt gezelschap voor mij om een regie bij te doen. Met de acteurs had ik 't naar m'n zin. Ik had ook een mooi stuk gevonden, waarin ik me al aan 't verdiepen was, want 't was behalve mooi ook nogal speciaal door de typisch Joodse dingen die er in voorkwamen. En als een van huis uit degelijke protestant christen wist ik daar niets vanaf. 't Speelde in de oorlog. 't Heette: *Monsieur Fugue ou le Mal de Terre*. Dat betekent zoiets als: Meneer Foetsie of de aardziekte (als woordspeling op zeeziekte). 't Stuk is in Nederland nog steeds niet gespeeld, voor zover ik weet. Ik vond natuurlijk ook dat het gezelschap wel eens een andere regisseur verdiende, nu Adrian blijkbaar niet meer werd gevraagd (!?). Berend wilde er niet van weten.

Op 't eind van dat seizoen liet de directie Bert Dijkstra een Frans stuk regisseren: *Een huwelijk onder Lodewijk de XVI*. Bert, een wat oudere hoorspelman met een sonore hoorspelstem, kon dat helemáál niet. Hij was volstrekt geen regisseur. Maar de acteurs (Robert, Tatiana en ik) maakten er onderling toch nog een aardige voorstelling van, in de schitterende kostuums van Mario, de vriend van Cor Stedelinck. Er kwamen drie try-outs in het (ongevaarlijke) Noorden des lands en die pakten goed uit. Het publiek en de pers vonden 't mooi. De première zou zijn in de Haagse Schouwburg. De dag voor de première verbood de directie van de Nieuwe Komedie de voorstelling. Er werd ons niet uitgelegd waarom. Waarschijnlijk zal er iets gezegd zijn van: de kwaliteit van de voorstelling is niet goed genoeg. Zeker weet ik dat niet meer. In elk geval werd er met ons gesold.

Vermoedelijk was er een flinke machtsstrijd gaande in de leiding van het gezelschap. Was dat de werkelijke oorzaak van die domme beslissing om de première af te gelasten. Wij hadden hard gewerkt om, ondanks de keuze van deze 'regisseur', er een aardige voorstelling van te maken. Voor mijn gevoel was dat gelukt. De kostuums moeten behoorlijk kostbaar geweest zijn. Weggegooid geld, weggegooide energie, weggegooid talent. Ik heb toen direct besloten weg te gaan bij de club. Berend vond dat prima. Frans Koppers was woedend op Berend, dat hij mij zo maar liet gaan. Kort daarna hield het hele gezelschap op te bestaan.

Een leuk, goed lopend gezelschap, met een lange traditie, met goede acteurs, met een prettige sfeer, met een duidelijke publieksgroep, met veel succesvolle voorstellingen op haar conto, ging om onduidelijk redenen naar de Filistijnen, maar zeker door een zucht tot 'hoogvliegerij' vanuit de leiding, door gebrek aan zelfkennis, egotripperij en domheid. En met minachting ten aanzien van de vele artiesten die de voorstellingen door de jaren heen hadden gemaakt. Vijftien tot twintig acteurs, die vaak al jaren bij de groep speelden, stonden op straat. Afgedankt als oud vuil. Van velen van hen heb ik sedertdien nooit meer iets vernomen.

Er kwam wel een nieuwe Nieuwe Komedie, onder een nieuwe leiding, met andere acteurs, met een ander soort repertoire en een andere 'doelgroep'. Ik speelde daar zelfs de hoofdrol in een stuk van Pirandello: *De Imbeciel.* Met een Griekse regisseur. De kranten vonden dat ik die rol erg goed deed.

Ik heb me wel eens afgevraagd hoe het met mij zou zijn gegaan wanneer de 'oude' Nieuwe Komedie was blijven bestaan. Misschien was ik dan m'n hele leven acteur gebleven, had ik de overstap naar de muziek niet gemaakt. Misschien zou ik een wat overzichtelijker leven hebben gehad. Of dat beter geweest zou zijn... In elk geval was 't erg jammer, toen, dat het liep zoals het liep.

Zonder een vast engagement ben je nergens als acteur, in dit land. Je zit in een zwart gat en je wacht op het verlossende telefoontje. Als je ‘t kunt bedel je zelf. Ik kon dat slecht.

Wij woonden met Mary’s twee zoontjes op een afschuwelijk verdiepinkje boven een bioscoop aan de Haarlemmerdijk. De bioscoopeigenaar was ook de huisbaas. Een nare man. We hadden hem één maand huur als borg moeten betalen (*f*500,-) en dat was veel voor ons. Hij moest altijd over ons gangetje naar zijn projectiecabine, dus maakte ik extra sloten op onze deur. Mary’s buik begon aardig rond te worden.

Na drie of vier maanden vonden we een huurhuis in Vinkeveen. Tijdens de verhuizing belde de huisbaas van de bioscoop de verhuisondernemer op met de informatie dat wij onbetrouwbaar waren en dus waarschijnlijk de verhuizing niet zouden betalen - of zo’n soort verhaal. Plotseling hielden de verhuizers op met hun werk, de piano in de takels voor ‘t raam van ons verdiepinkje. Ik heb ‘t goed kunnen praten met de verhuizer. Van de borg hebben we natuurlijk nooit iets teruggezien.

Het huis in Vinkeveen was een paradijs. Het had geen centrale verwarming. Het had überhaupt geen verwarming, behalve onze eigen kolenkachel. ‘t Was een strenge winter, maar wat gaf het. We waren eigen baas. Ik speelde in *De Man van La Mancha* en had alleen op maandagen vrij. Iedere maandagochtend, vier of vijf weken lang, vloog ik naar Londen en dan met de trein door naar Southampton, want daar zat Mary, bij haar oom. Eén van ons tweeën moest namelijk ten minste een maand in Engeland zijn, zonder onderbreking. Want we wilden trouwen. Dat kon alleen in Engeland, maar onder die voorwaarde.

Mary was pas enkele maanden daarvoor gescheiden en in Nederland moest je negen maanden of een jaar wachten voordat je weer mocht trouwen. Dat was toen nog zo. Als Elsie geboren zou worden zonder dat wij getrouwd waren, zou ze de achternaam van Mary’s vorige echtgenoot krijgen. Ook dat was toen zo. Daarom wilden we per se trouwen.

Eerst zat Mary in Adrian’s oude Londense souterrain, dat hij vermoedelijk al lang niet meer heeft. Bij haar oom in S. was het gerieflijker, alhoewel die mensen op haar neerkeken. Maar het is gelukt, we kregen ons briefje. De twee getuigen waren een acteursechtpaar, aardige mensen, vrienden van Adrian. Elsie was een wolk van een baby, ze is nu een wolk van een jonge vrouw.

Andries (drie jaar) en Elsie (één jaar) in Vinkeveen, 1970.

Mijn zoon, vier jaar oud, werd direct na mijn scheiding door Maélys bij haar ouders gedropt, in het noorden des lands. Daar werd hij ernstig ziek. Op 't randje van de dood overleefde hij een soort verlamming. Volgens mij wisten de artsen eigenlijk niet wat 't voor een ziekte was. Nog net voordat de longen verlamd raakten kwam 't keerpunt. Hij lag in het kinderziekenhuis in Assen. Ik regisseerde toen in Drachten en kon hem dus regelmatig opzoeken. Toen hij weer opknapte liep hij eerst met krukken door de gangen van het ziekenhuis. Hij was gelukkig ontzettend eigenwijs en zette daar de boel op stelten. Hij werd dus weer helemaal beter. Toen vond Maélys het verstandiger hem aan Mary en mij toe te vertrouwen, in Vinkeveen, en dat ging goed.

Ik was moe, in die tijd. Logisch, na de vreselijke maanden boven het bioscoopje, de moeizame scheiding, de moeizame productie van *La Mancha*, ons moeizaam trouwen in Engeland, de moeizame regie in Drachten... Timothy, mijn zoon, ging nog wel es een weekend logeren bij zijn opa en oma in Drenthe. Soms haalde ik hem daar af. Op een keer reden we terug, met m'n Kever. Timothy zat achterin en had een zooi knikkers op de voorstoel gelegd. De rugleuningen van die stoelen waren nog niet vergrendeld en er bestonden ook nog geen veiligheidsgordels. Ergens op de snelweg tussen Zwolle en Amersfoort duwde hij de rugleuning naar voren, waardoor alle knikkers op de autovloer rolden. Ik keek om. Direct was er een hard schurend geluid. Ik keek weer voor me en zag dat ik bezig was tegen de vangrail te rijden, in de middenberm, met de linkerkant van de auto. Ik hield de auto in bedwang en kon 'm aan de rechterkant van de weg in de berm stilzetten. Gelukkig was er toevallig geen achterop komend verkeer. Het profiel van de vangrail zat keurig in de linkerkant van de auto gegroefd, boven de wielen. Maar we konden nog naar huis rijden. Er was ons niets overkomen. Behalve de schrik.

Tot na z'n eindexamen gymnasium is Timothy bij Mary blijven wonen. Maar toen waren we al weer drie keer verhuisd, en woonde ik al weer jaren 'op mezelf'.

Elsie en Timothy, ongeveer 10 en 14 jaar, tijdens een vakantie in Scheveningen, rond 1979.

DE KONING DIE NIET DOOD KON

Derde acte - scène 1 (fragment)

Zaterdagmiddag, 3 uur. Het tuinhuis in de kasteeltuin.

(.....)

Siem: Was het eng?

Ada: Nee... nee, helemaal niet. Ze zijn heel lief allemaal.

Weer een kleine stilte. Ada zit te vol om gemakkelijk te kunnen vertellen.

Siem: Dus je gaat nog niet met me mee?

Ada *(herinnert zich dat dat een mogelijkheid was, ooit...)*: Nee, er is nog zo veel te doen... Ik moet de koning nog helpen, met dingen te onderzoeken... De minister wou me wegjagen... maar nu mag ik blijven, de koning wil dat ik blijf... *(kleine stilte)* D'r is een grote zolder, met allemaal maffe dingen; die hebben ze d'r zo neergegooid, lang geleden, en er nooit meer naar omgekeken... *(kleine stilte)* De minister heeft een bordje aan z'n deur, dat draait ie altijd om als ie er in of er uit gaat, ook als ie hartstikke kwaad is, vergeet ie 't nog niet. Aan allebei de kanten staat "verboden toegang", o nee, aan één kant "niet storen".

Siem: Zeker een gewichtig iemand.

Ada: Ja... een zeurpiet. Gisteren wou ie niet eten... zo kwaad was ie!

Siem: Omdat jij er was?

Ada: Ja. Tenminste... eigenlijk om iets anders, denk ik... Of misschien is ie wel vaker kwaad, zomaar om niks - is ie zo geboren. *(Ze lacht een beetje. Kleine stilte.)* De koning stuurde 'm naar zijn kamer, vanochtend, als een kleine jongen. Omdat ie voor z'n beurt sprak. *(kleine stilte)* Ik heb 'm es flink de waarheid gezegd... *(Ze is weer ernstig.)*

Siem: De koning?

Ada: Nee, de minister. Ik heb met 'm gevochten... Ik was veel sterker, hij lag zo op de grond. Ik was zo kwaad..! *(Ze lacht weer een beetje)* Ik had een lange japon aan en ik zat boven op 'm. Hij lag te piepen als een muis... au, au, au... Hij was doodsbenauwd, ik raakte hem niet eens echt. Tenminste, niet

in z'n gezicht. Ik wou 'm in z'n gezicht krabben, maar toen ie daar lag zag ik hoe bang hij was... 't Was net een bange baby... en of... of z'n gezicht, 't vel van z'n gezicht...
't was net een soort karton. Ik dacht: één mep en z'n hoofd is nog maar een klein propje... Toen heb ik 'm maar op z'n armen gebeukt en op z'n borst. Ik geloof... dat ie echt dacht dat ik 'm dood zou slaan... Eigenlijk deed ie niks terug, alsof ie vond dat ie 't verdiend had. *(Ze denkt even.)* Zou dat kunnen? *(Siem antwoordt niet, hij laat haar in haar gedachten.)* Toen heeft de koning hem naar z'n kamer gestuurd. *(kleine stilte)* Toen heb ik ook nog drie borden kapot gegooid. *(Ze lacht weer even.)*

Siem: En toch mag je blijven?

Ada: Ja, juist daardoor, begrijp dat nou toch. *(Kleine stilte; ze kijkt naar Siem.)* 't Is zo grappig... jij bent zo vreeslijk echt, zo gewoon... dat het net is of jij uit een andere wereld komt die niet bestaat, die verzonnen is. Weet je...ik woon hier, en ik krijg even bezoek van iemand uit een sprookje, die ook weer weg gaat, straks... Begrijp je, jij hebt niet echt met mij te maken... Maar 't leuke is dat je dat niet erg vindt, want je bent nou eenmaal uit een sprookje. En wat hier gebeurt, met mij, is echt. Maar 't rare is dat 't omgekeerd is. Jij bent van 't leven zoals het ís, zoals 't hóórt... met paarden en koeien en brood en geld.., en 't kasteel en ik zijn maar een gedachte, een verzinsel. *(kleine stilte)* Je bent zo stil... Je zit als een grote witte onechte prins naar me te luisteren en straks blijkt dat je lucht bent... Kom es naast me zitten, dan raak ik je even aan, dan weet ik 't zeker. *(Siem zit naast haar.)*
Je grote sterke koeiehanden. *(Siem lacht een beetje, maar is ook een beetje verlegen.)* Je bent echt, zie je wel.

Er is een stilte. Ada heeft met haar beide handen een hand van Siem vast. Ze kijkt er naar, maar is met haar gedachten ver weg.

Eigenlijk is er niks veranderd, maar 't is net... 't is net of ik nou weet wie ik ben. Dat is natuurlijk onzin, want wat weet ik nou... Ik weet niks van mezelf... Toen ik die jurk aan had, weet je wel, waarin ik met de minister vocht... 't Was een jurk van de koningin, en ik zat er mee op de troon, zó ongeveer, ja zo, ook zo, ik hield de hand van de koning vast, toen was 't net... of er honderd jaar weg waren.., begrijp je, of 't niet uitmaakte dat ik 't was, ik was gewoon de koningin... Misschien zijn we allemaal wel een stukje van elkaar, als we dat willen... 't Maakte niet uit dat ik het was, 't ging om de koning. Zou 't zo zijn, dat iedere keer als je niet huilt als je dat eigenlijk wilt, of niet boos wordt als je dat eigenlijk wilt, dat dat dan ergens blijft zitten, heel ver van binnen, in een donkere spelonk, in een zoutkoepel? Al die tranen en al die boosheid... *(Ze leunt met haar hoofd tegen Siems schouder.)* En 't rare is, dat iedere keer als je een stukje van een geheim ontdekt, blijkt er weer een nieuw geheim te zijn.., want als ik zeg dat ik weet wie ik ben... weet ik weer niks. *(kleine stilte)* Dat bedoel ik. *(kleine stilte)* De koning wil wel dood, maar 't lijkt wel of hij 't niet kan. Opgesloten in z'n eigen zoutkoepel, voor eeuwig in een oud lichaam... Stel je voor... op een dag moet je alles weten...

Kleine stilte. Ze staat op en gaat in de deuropening van het tuinhuisje staan. Ze kijkt naar buiten.

De zon schijnt, 't is warm en de wind waait zachtjes door de bladeren... Toen deze bomen geplant werden, was zelfs deze koning nog niet geboren. Zulke oude bomen moeten heel wijs zijn, denk je niet?

Ze draait zich naar hem om. Siem gaat ook in de deuropening staan.

Straks ga ik weer naar binnen, in het kasteel. Tegen 't volgende geheim aanlopen, boing!! *(Ze doet of ze tegen een deur aanloopt, lacherig.)* Ben jij weer bij je koeien. Gek hè? *(Ze kijkt hem heel lief aan.)* Wie van ons tweeën is er nou echt, jij of ik?

Siem *(glimlacht)*: Ik.

Ada: Egoïst! *(kleine stilte)* Straks is alles veranderd. Omdat ik 't jou verteld heb. Begrijp je dat?

Siem: Nee.

Ada: *(denkt even na)*: Ik ook niet.

(.....)

Deel II - Freelance: bloed, zweet en tranen

Hoofdstuk 6 - De kwetsbare acteur

De Man van La Mancha, december 1968, foto uit het programmablad. Vooraan Guus Hermus, links vooraan Lex Schoorel.

Drie maanden stonden we in Carré met *De Man van La Mancha*. Ik vond 't een vreselijk slechte voorstelling, ontzettend sentimenteel, oppervlakkig en oneerlijk. Overigens zong en speelde Carry Tefsen er in, haar eerste grote rol, en dat deed ze prima. Het orkest werd in eerste instantie gedirigeerd door Jan Wolff, de hoornist die jaren geleden het nog steeds bestaande orkest De Volharding oprichtte. Met hem raakte ik bevriend. Een jaar later kwam hij, samen met een trompettist, mijn muziek spelen in ons huis in Bennekom. Gratis en voor niks.

Inmiddels is Jan Wolff directeur van het muziekcentrum De IJsbreker. Ik kwam hem eind 2001 tegen bij een concert in De Rode Hoed, na meer dan dertig jaar. Ik vertelde hem over de plannen voor ons concert. Hij nodigde me meteen uit het concert bij hem in première te komen brengen, hetgeen dan ook gaat gebeuren, in februari 2003! #1

Ik vroeg de producent van *La Mancha*, Paul Kijzer, of ik de voorstelling na de drie maanden in Carré mocht verlaten (ik had nog een contract van een jaar), omdat ik 't zo'n slechte voorstelling vond. Na enig gepraat mocht ik weg. Ik denk dat hij mijn eerlijkheid wel op prijs kon stellen.

Daar was dus weer het zwarte gat. Het zwarte gat leverde mij een aantal regies op.

De eerste was de musical *Eva Fortuna*, waarvan de tekst door Hugo Heinen werd geschreven. De repetities hadden al begonnen moeten zijn, maar de tekst was nog lang niet klaar en twee eerdere regisseurs hadden er de brui aan gegeven. Ik zou de klus wel op me nemen. Hugo kwam een paar keer bij mij thuis in Vinkeveen om inspiratie op te doen en we gingen van start.

Cor Lemaire had de muziek geschreven (die was wel al klaar) en reken maar dat die goed was. Natuurlijk zat Cor bij de repetities en bij de uitvoering ook zelf aan de piano. 't Was geweldig om Cor te leren kennen en met hem te werken. Een echte artiest en een dot van een man. Hij heeft ook veel muziek voor Annie Schmidt geschreven (*De Familie Doorsnee*, bijvoorbeeld), maar later is die plek ingenomen door Harry Bannink. Het lijkt er op of Cor's naam moest worden weggepoetst. Ik hoop dat ik me vergis.

De voorstelling van *Eva Fortuna* werd heel aardig. Er zaten originele scènes in (vooral de lange tango scène), de kostuums waren mooi, er waren grappige choreografietjes, deels door mij 'bedacht', deels door een choreograaf, de muziek was fantastisch en het spel goed. Het waren tenslotte 'maar' studenten.

Bij de première in de Utrechtse schouwburg moest ik zelf de lichtveranderingen doorgeven, daar was niemand voor. Daarom zat ik ergens opzij op het toneel. Eigenlijk heb ik de voorstelling dus niet gezien. *De Onzichtbare Regisseur*... Na afloop werd ik voorgesteld aan koningin Juliana. Ze was tevreden.

Een andere regie was bij de Noorder Compagnie, het moedige gezelschap van Jaap Maarleveld en Manon Alving. Twee eenakters van O'Neill. Ik verhuisde met het hele gezin voor een paar maanden naar Drachten, een huisje bij een boerderij. 't Was winter en er was veel modder rond de boerderij. Ik reed in m'n eerste auto: een VW Kever. De boer heeft me een keer of vijf uit de modder moeten trekken met z'n tractor.

De voorstelling werd goed, denk ik, misschien wel meer dan dat. Ik heb Ischa Meijer, die toen nog toneelrecensent was, gevraagd om voor zijn krant een recensie te schrijven over onze voorstelling. Hij was vaak erg onbarmhartig over wat hij te zien kreeg. Ik dacht: kom maar op. Maar hij kwam niet, helaas.

Misschien was ik in die tijd niet in m'n allerbeste doen - de totstandkoming van de voorstelling was niet vlot. Ik voelde voortdurend een gebrek aan vertrouwen in mijn persoon van de kant van de acteurs. Ik was nog piepjong, misschien was ik niet autoritair genoeg, of misschien zei of vroeg ik wel dingen die ze niet gewend waren. Zo vroeg ik Jaap, die een klein mannetje is, om niet krom te lopen in die rol van stoere zeekapitein. Dat was een ingesleten gewoonte van hem, z'n gebrek aan lengte verhullen door krom te lopen (althans, zo interpreteerde ik dat toen...). Ik legde uit dat dat niet werkte, in tegendeel averechts werkte. De suggestie werd mij niet in dank afgenomen.

Rutger Hauer en Hero Muller in Waar het kruis bij staat, van O'Neill. December 1969. Foto: N. van Pesch.

Op een dag vond ik dat er zo geklooid werd, dat ik kwaad weg liep. Dat had ik natuurlijk niet moeten doen. Toen ik een uur later terugkwam had een van de acteurs de regie overgenomen: Rutger Hauer. Het leek er niet op dat ze me hadden gemist. Maar ik mocht het roer weer overnemen.

De première ging goed. Na de positieve ontvangst verontschuldigde Manon zich dat ze zich de laatste weken niet voor honderd procent had ingezet: familieomstandigheden. Dat was nieuw voor mij en blijkbaar had de hele groep last gehad van z'n familie.

Ik wil niet de indruk wekken dat ik nu of toen het eventuele verdriet of de sores van welke aard dan ook onderschat die Manon toen gehad heeft vanwege iets wat er in haar familie gebeurde of was gebeurd, maar ze had daar tot op dat moment met geen woord over gesproken en tijdens de repetities onderscheidde ze zich op geen enkele manier van de andere acteurs, in de zin dat ze even weinig animo aan de dag legde om er werkelijk iets van te maken. Tenminste - zo kwam het op mij over. Er heerste een sfeer van lamlendigheid, gebrek aan vertrouwen en gebrek aan inzet. Voor mij was het sowieso een erg moeilijke tijd. Er waren dingen aan de hand die ik niet begreep, zoals mijn toenemende vermoeidheid, mijn kersverse echtgenote had de zorg over een baby en nog twee kleine kinderen (en een bijna overspannen echtgenoot...), we hadden beiden een slopende tijd achter de rug vanwege het moeten trouwen in Engeland en de verschrikkelijke vier maanden boven het bioscoopje aan de Haarlemmerdijk en mijn driejarige zoon lag met een vreselijke ziekte in een ziekenhuis in Assen, met de reële kans dat hij snel zou sterven. Achter die omstandigheden heb ik me toen niet verscholen.

Het was geen gezellige productie. Ja, Hero Muller. Met hem werkte ik prettig en hij speelde een erg goede rol.

Na de première ben ik snel weer afgetaaid met m'n gezinnetje, met een gevoel van modder en kou.

De totstandkoming van een theatervoorstelling gaat dikwijls gepaard met heftige ruzies. Ik heb me nogal eens afgevraagd of dat een vaste voorwaarde is bij het proces, of er zonder ruzies geen theatervoorstelling kan ontstaan. Je zou 't haast zeggen. Het kan ook zijn dat men zo gewend is aan conflicten, dat bij afwezigheid daarvan men zich zorgen gaat maken - het resultaat *kan* niet goed zijn. Bij Sater was zoiets aan de hand. Ondanks de late start was *Tableau de la Troupe* een week voor de première min of meer klaar. Dat is bijzonder. Er waren geen echte twisten geweest, we hadden in een voornamelijk ontspannen sfeer anderhalve maand gewerkt. Wel was het iedereen al snel duidelijk geworden dat het stuk tamelijk mager en schimmig was, en we hadden gezamenlijk een aantal trukendozen geopend om zwakke plekken op te fleuren met maffe bewegingen en clowneske scènes. De acteurs waren daar behendig in en ik was ze daar erg dankbaar voor. Ik had opbeurende of verdiepende muziek uitgezocht, zelfs fragmenten uit het Requiem van Verdi, met een jubelende Elisabeth Schwarzkopf, zodat het publiek zeker kon weten dat, wanneer er nog iets van de intentie van het stuk aan hen voorbijging, dat aan hen zelf lag.

De dag voor de première van Tableau de la Troupe, in De Balie in Amsterdam. Op de achtergrond het mooie decor van Frits Jansma. De regisseur pompt nog wat vertrouwen in de groep. Foto: Kors van Bennekom.

Een week voor de première waren alle afspraken gemaakt en moest er alleen nog bijgeschaafd worden. En ja... daar sloop de onzekerheid in de groep. 't Was allemaal te soepel verlopen, dat kon niet goed zijn. De argwaan richtte zich geheel op de regisseur, en de groep acteurs, toch niet altijd zo eensgezind, vormde plotseling een front. Blijkbaar hadden zij toch nog behoefte aan een extra obstakel, op de valreep. Ik geloof niet in het nut daarvan, integendeel. De twijfel aan zichzelf en de collectieve wrevel slurpt energie en komt een voorstelling nooit ten goede. Het is dom en onvolwassen. Bovendien is het een onaangename opstelling tegenover de regisseur, die zich tenslotte ook uitslooft. Het is bijna komisch te bedenken dat de vijf acteurs van *Tableau de la Troupe* zich in die laatste week voor de première precies zo gedroegen als de personen die zij in de voorstelling moesten uitbeelden...

Zeker is, dat een productie zonder conflicten verdacht is. Uiteindelijk hebben we de voorstelling met veel plezier gespeeld (ik ook dus!) en het publiek kon zo nu en dan onbedaarlijk lachen om de 'zotternijen', hetgeen voor een acteur de meest bevredigende momenten van het vak zijn, vind ik.

Een aparte belevenis was ook de totstandkoming van een voorstelling in Almere, bij Theater na Water: *Poldergeest*. Ik werd er weer eens als invaller-regisseur bij geroepen. Op basis van improvisaties moest er een toneelstuk ontstaan over de wonderbaarlijke verrijzenis van Almere uit de modder van het IJsselmeer. Best een aardig idee. Er stond nog geen letter op papier en zoals altijd was er haast. Hoewel de improvisatiekant van het theater niet het gebied is waarmee ik de meeste ervaring had, en zeker niet het gebied van mijn voorkeur (ik hou van en geloof in goed geschreven toneelstukken door echte toneelschrijvers), had ik geen keus.

We bedachten een x aantal belangrijke situaties waarin een x aantal personen betrokken was die samen een verhaal moesten vormen en vervolgens liet ik Moniek, Kees en Eric improviseren. Ik noteerde veel van wat ze deden en kwam op de volgende repetitie met een goed lopende scène aan zetten waar hun eigen inbreng in terug te vinden was. In een latere fase, toen duidelijk was hoe de lijn van het stuk was en welke personages iedereen speelde (een flink aantal per acteur), voegde ik daar wat zelf verzonnen scènes aan toe. Zo ontstond er een aardig toneelstuk met zowel serieuze als komische scènes.

Het meest dierbaar waren mij de drie oudjes op het bankje. Ze gaven elk op hun eigen manier commentaar op hun nieuwe leef-situatie, elk met z'n eigen achtergrond, herkomst en dialect, min of meer langs elkaar heen pratend. Schitterend. Humoristisch en ont-roerend tegelijk. Eric was verbaasd en complimenteus over mijn schrijverij - hij schreef zelf ook toneelstukken.

Eigenlijk waren er geen echte problemen of twijfels, behalve misschien de twijfels van de acteurs of hun eigen inbreng als 'bedenkers' wel interessant genoeg zou blijken te zijn. Ondanks de tijdnood verliep alles dus tamelijk soepel. Iedereen werkte hard. Er was een abstract decor gemaakt door een plaatselijke kunstenaar en moderne muziek door een jonge Amsterdamse componist. Toch sloeg ook hier de twijfel toe.

De meest ervaren persoon van de drie, mijn vriend de acteur Eric Schuttelaar, nodigde een bevriende collega uit op de generales, raakte door diens 'adviezen' verzeild in alarmerende moedeloosheid, verloor zijn gebruikelijke gevoel voor humor, verloor z'n stem, raakte compleet contactgestoord naar zijn beminde regisseur toe en besmette met dat alles ook zijn medespelers met het virus van de twijfel. Zo ontstond ook hier de traditionele, uitzichtloze paniek, die sommige acteurs blijkbaar nodig denken te hebben om het toneel op te gaan bij de première. En de arme regisseur maar kruiwagens met vertrouwen aanslepen.

Natuurlijk is het zo dat ieder conflict voedsel is voor het ego. Het ego gedijt niet met een soepel verlopend repetitieproces. Zelfs al leidt een conflict tot niets, behalve tot een verslechtering van de pres-tatie, het ego is gegroeid. Eric echter was gewoon in paniek. Daar waren redenen voor die ik niet kon doorgronden, hij zelf misschien ook niet.

Er hing altijd een soort zwaarmoedigheid om hem heen. Alles was apart aan hem - z'n uiterlijk, z'n manier van spelen, de keuzes die hij maakte in het leven, z'n gevoel voor humor, z'n kritiek over maat-schappelijke structuren, z'n somberheid, z'n uitgesproken mening over alles, z'n bijzondere doorzicht in dingen... Maar ook z'n onuitstaanbaarheid soms. En z'n onhandige warmte. Meestal wist hij z'n onzekerheid goed weg te moffelen.

'S Avonds waste hij vaak borden in een restaurant. Een jaar of tien geleden is hij overleden. Wat weet ik nou eigenlijk van hem af? Bijna niets.

We speelden samen in een stuk over Marinus van der Lubbe. In 1983 moet dat geweest zijn. Ook al weer met bloed, zweet en tranen tot stand gekomen. Eric speelde daarin onder andere Göring. Ik denk behoorlijk moedig van hem, aangezien bijna z'n hele familie in de oorlog was vergast. Ook Rob van de Meeberg speelde mee, en Ernst Zwaan (als Van der Lubbe), Henk Uterwijk en Huib Ouwehand. Zes mannen. Allemaal goede acteurs. We speelden ieder drie of vier of meer rollen.

De cast + vier andere betrokkenen van het "Lubbe-stuk", met middenvoor in een soort bontjas, Eric Schuttelaar. Naast hem Louise Robben. Rechts Rob van de Meeberg.

Over de hele productie hing een loodzware wolk. De tekst kwam moeizaam tot stand uit het brein van een Duitse vriend van de regisseuse Louise Robben en werd gelukkig veelvuldig gecorrigeerd door Rob. De scènes waren niet makkelijk speelbaar, want te schetsmatig of te 'bedoeld'.

Eén van de grappen van een goede toneelscène is dat je het als schrijver niet al te duidelijk moet hebben over waar je 't over wilt hebben. Als je de boodschap gaat uitdragen zit je direct fout. Er waren heftige confrontaties met Louise, en tranen. Ik meen me te herinneren dat zij de regie niet heeft afgemaakt, dat wij haar er op 't eind eenvoudig niet bij wilden hebben.

De mannen bleven elkaar trouw en sleepten er een goede voorstelling uit. Een voorstelling waar zeker een sfeer van onheil in zat. *# 2*

Ik kan niet tegen onrecht. Ik heb regelmatig meegemaakt dat acteurs werden vernederd. Dit is een groot woord, dat realiseer ik me. Toch gebruik ik het, want ik heb het aan den lijve ondervonden. Bijna altijd ontstaat zo'n situatie vanuit de regisseur. Een regisseur heeft macht. Acteren is een kwetsbaar vak, vooral voor hen die zich kwetsbaar opstellen - en dat zijn de besten.

Het vak van regisseur is het moeilijkste wat er is, juist omdat de acteurs die de voorstelling moeten maken, in zo'n kwetsbare positie zitten. Er zijn geen duidelijke omschrijvingen te geven van wat iemand tot een goede regisseur maakt. Ik heb niet veel goede regisseurs meegemaakt.

Niet alle acteurs zijn kwetsbaar. Sommigen hebben een pantser van handigheden om zich heen hangen waarmee ze de vraag van de regisseur (zo die al duidelijk is) snel kunnen bevredigen. Voor veel regisseurs zijn dat de meest bruikbare acteurs. Zij leveren de makkelijke, keurige prestatie af, die de regisseur problemen bespaart, maar die eigenlijk weinig voorstelt. Vroeger had je ook van die handige hoorspelacteurs. Ik heb ze meegemaakt. Ze vergisten zich nooit, ik was daar best jaloers op. En hun intonatie leek in eerste instantie logisch te zijn. Maar als ik ze terug hoorde dacht ik altijd: wat zeggen ze nou eigenlijk?

Al toen ik jong was bedacht ik me dat toneelspelen eigenlijk moet lijken op koorddansen. Als een koorddanser 'op safe' wil gaan, kan hij het koord op de grond leggen. Hij kan er dan veilig overheen lopen zonder het risico er af te donderen. Natuurlijk is dat niet interessant. Sommige acteurs leggen het koord op de grond. Ze creëren een veilige situatie, waarop ze verder alle voorstellingen kunnen vertrouwen. Ze komen niet voor verrassingen te staan. Het publiek dus ook niet. Dus is hun vertolking saai. De kwetsbare acteur loopt over een hoog gespannen koord. Dat maakt zijn prestatie spannend... Ook al heeft hij voldoende techniek om er niet af te vallen, de kans blijft er. Hij zal ook nooit twee keer op exact dezelfde wijze over het koord kunnen lopen (z'n rol kunnen spelen), want bij iedere voorstelling zijn er verschillen in omstandigheden. Verschillen in de collega's met wie hij werkt, verschillen in hem zelf, verschillen in de respons van het publiek.

Ik herinner me een vioolles door de beroemde violist Isaac Stern, met Chinese kinderen. Ze speelden best al aardig, maar één ding ben ik niet vergeten. Stern zei tegen één van die meisjes, toen ze iets moois had gespeeld: Vergeet niet, de toon die je speelt is er maar één keer. Je zult nooit dezelfde toon meer kunnen spelen, in je hele leven. Dus wees je bewust van die toon. Koester hem, geniet er van.

Aangezien er gelukkig ook veel kwetsbare acteurs zijn (laten we die term maar even handhaven), die geen zin hebben om met pan-klare oplossingen te komen voor hun rol zonder dat ze de tijd hebben gehad om zich redelijkerwijs en in samenhang met de andere rollen een gegrond beeld van die rol te vormen, heeft de regisseur een probleem. Wat nu? Hoe te beginnen?

Allereerst is er een basis van vertrouwen nodig. Die ontbreekt bijna altijd. Zeker wanneer de regisseur meent te moeten uitstralen dat hij al precies weet hoe alles er zal gaan uitzien, ook jouw rol, slaat de kwetsbare acteur dicht. Hij is al bij voorbaat in het defensief gedwongen en krijg hem er maar eens uit. Meestal stellen regisseurs zich zo op. De houding van: ik ken het stuk van haver tot gort en ik weet hoe het opgevoerd moet worden, dus doe maar wat ik zeg.

Natuurlijk moet de acteur zelf 'met iets komen'. Na de eerste aarzelende verkenningen moet hij iets van zichzelf laten zien. Dat mag best iets zijn wat later niet gebruikt zal worden. Iedere inbreng is goed, want samen met de regisseur kan hij daar op doorborduren. Daarvoor is tussen hen dus dat vertrouwen nodig. Als dat er is, moet het voor de acteur geen probleem zijn om zijn creativiteit aan te spreken en iets te laten zien, zonder dat de regisseur dat had 'voorgeschreven' of 'voorgedaan'. Want ook een goede regisseur stelt zich kwetsbaar op. En daar kunnen veel acteurs weer niet mee omgaan. Ze zijn gewend aan opdrachten - dat is makkelijker.

Ik weet van mezelf dat ik (als acteur) alleen kan werken met een regisseur die ik vertrouw. Nou, ga er maar aanstaan. Op grond waarvan kun je over en weer vertrouwen hebben? Ik zou 't niet weten. Zoiets is er of het is er niet. Vertrouwen grenst aan vriendschap, dus wordt het nog griezeliger.

Tijdens de opnames van Armoede. Links Diana Dobbelman als Louise, wachtend op de kreet: AKTIE! Achter de camera Rob van der Drift. Rechts van de camera, met denkvinger bij de mond: regisseur Bram van Erkel. Helemaal rechts nog net zichtbaar, Pjotr van Dijk, de geluidsman. Foto: Lex Schoorel.

Je zou wel kunnen stellen, vermoed ik, dat ‘t handig is wanneer de regisseur en de acteur beiden niet rondlopen met een kolossaal ego. Immers een groot ego belemmert sowieso het contact tussen mensen, op welke plek in de maatschappij dan ook. Maar zijn we niet aan het theater gegaan omdat we onszelf zo buitengewoon interessant vinden? Zijn wij theatermensen dus niet bij voorbaat al behept met een groot ego, en is dat wellicht niet een voorwaarde voor de uitoefening van het vak? Want een acteur die zichzelf niet geweldig vindt gaat toch dat toneel niet op?

Met Bram van Erkel heb ik veel gewerkt, zoals ik verteld heb. Tussen ons was er een soort vertrouwen aan de hand. Behalve aan vriendschap grenst dat ook aan respect. Of eigenlijk - die dingen overlappen elkaar. Met Bram kon ik dus goed werken, ook snel, want we begrepen elkaar. Na een goed geslaagde instelling konden we innig tevreden, als goede vrienden, even met elkaar oplopen. Want vergist u zich niet: als acteur laat je altijd iets van jezelf zien, iets wat hoe dan ook intiem is. *Als het goed is!* Want er zijn ook acteurs die op bekwame wijze kunnen doen alsof ze iets van zichzelf laten zien, maar die dat in werkelijkheid helemaal niet doen. Buitenkant dus. Ik heb een ontzettende hekel aan dat soort acteurs. Ik vind dat ze oninteressant werk leveren (want ze zitten de kluit te belazeren). Het ergerlijke is dat ze door een groot percentage mensen gewaardeerd worden voor wat ze doen, publiek zowel als regisseurs, omdat men blijkbaar niet ziet hoe ze de kluit belazeren. Maar bovendien kapen ze op die manier het werk af van de mensen die wel integer werken. Wat *ik* integer vind.

Eigenlijk vind ik dat samen musiceren of samen toneelspelen alleen mogelijk is wanneer er tussen de ‘deelnemers’, ‘uitvoerders’, ‘kunstenaars’ een soort liefdesrelatie aan de hand is. In de praktijk, zoals wij die kennen, is dat vrijwel nooit zo.

Als, na een concert of een toneelvoorstelling, de hele zaal applaudisseert, vraag ik me vaak af: waarom? Realiseert men zich niet dat er iets zeer essentieels mist? Wanneer ik iets mis (het hart) dan weet ik dat het er inderdaad niet was. Dat tenminste weet ik zeker. En juist dat is het enige wat voor mij telt.

Het hart is een onbelangrijk verschijnsel geworden. Geld,

status, carrière, snelheid – daar gaat het om tegenwoordig. Dat is het hele punt. Ik pas niet in een wereld waarin geld, status en snelheid belangrijk zijn (en niet te vergeten lawaai!). Ik denk ook dat deze schijnwaarden nergens toe leiden. Hoe mensen met elkaar omgaan, of liever niet met elkaar omgaan, langs elkaar heen leven – wat levert dat op? Eenzaamheid, oppervlakkigheid, domheid, onbegrip, een onleefbare wereld, oorlogen… De Kunst zou daar iets tegenover moeten stellen, namelijk het hart, stilte, 'verdieping'…

Onlangs zag ik de film Secrets & Lies op de televisie. Prachtig. Er zijn wel degelijk mensen die kunst brengen vanuit hun hart. En *zij* hebben gelijk. Alleen zij. Zij bewijzen wat ik zeg.

Voor boeken geldt hetzelfde. Veel aangeprezen boeken zijn zo mateloos oninteressant. Zo 'bedacht'. Er zijn ook hartboeken. Heeft u Het Huis van de Zeven Zusters gelezen, van Elle Eggels? Doen!

Er zijn dirigenten die een orkest zo weten te inspireren ('begeistern') dat er een soort liefdesrelatie ontstaat tussen de orkestleden onderling en met hem, of ze er nou zelf erg in hebben of niet. Zeker is dat ze na afloop van het concert het gevoel zullen hebben dat ze lekker hebben gespeeld. Ik heb dit een aantal malen meegemaakt, gelukkig. En wat denkt u van de pianist die een zanger begeleidt, met liederen? Er *moet* tussen hen een soort liefdesrelatie bestaan tijdens het concert, anders stelt het niets voor wat ze ten gehore brengen. Het is wel zeker dat ook het publiek wordt betrokken in die liefdesrelatie. Dat is het enige motief waarom je naar een concert of voorstelling toe zou gaan. Want 'Kunst' is een kunstje met een hart.

Bij het spelen van de heftige nachtelijke scène tussen Jan Retèl (mijn vader in *Armoede*) en mij, was tussen ons (acteurs) een soort liefdesrelatie aan de hand, niettegenstaande de scène zelf, waarin wij recht tegenover elkaar stonden en er verwijten werden gemaakt. Ik herinner me een andere scène tussen ons tweeën, in de studio, waarin Jan me de brief van het jongetje voorlegt die hij zojuist heeft ontvangen. De feilloze intuïtie van de oude opa die hij speelde (zo leuk geschreven door Peter van Gestel). De merkwaardige relatie tussen de vader en de zoon Paul (ik dus). Na afloop van de opname zei Jan Retel, nog in de set, half voor zichzelf: Merkwaardig, merkwaardig.., ja, zo moet je zo'n scène spelen...

Gelukkig heb ik dit soort momenten tientallen malen meegemaakt aan het toneel en gelukkig heb ik veel met Steven gemusiceerd, mijn Wageningse pianist, en aan den lijve ondervonden dat wat ik hier vertel, waar is.

De acteurs van het Lubbe-stuk waren alle zes kwetsbare acteurs. Dat is een compliment voor de keuze van Louise. Maar ze maakte 't zichzelf wel moeilijk met die keuze. Zij gaf ons niet haar vertrouwen (haar hart) en maakte ons doodnerveus.

Eric had ook een stuk geschreven, dat geïnspireerd was door *Alice in Wonderland.* Het heette *Alice in Horrorland.* Een wrange eigentijdse komedie. Ik zou het regisseren. De cast was al rond, we waren al een keer bij elkaar geweest. Met de decorontwerpster had ik al een paar besprekingen gehad en ongetwijfeld had ik Herman van Elteren gevraagd de kostuums te ontwerpen. Er was geld, maar te weinig. De jaarlijkse subsidietjes van het Rijk zijn voor veel projecten niet toereikend. Zo vaak als leuke dingen niet doorgaan in dit vak...

In die tijd zou ik ook in een stuk spelen met Diana Dobbelman. Ik ben de titel vergeten. Ad Hoeymans zou de regie doen. Herman de aankleding. Ook dit feest ging niet door. Jammer. Nou heb ik nog altijd niet met Herman gewerkt. Ja toch, één keer. Bij de Nederlandse Comedie had hij *De Schuchtere aan het Hof* aangekleed. Decor en kostuums, zeer vrolijk. Regie Hans Boswinkel. Ik speelde daar ook in mee.

*# **1** Jan Wolff was vanaf 2005 directeur van Het Muziekgebouw aan 't IJ. Hij overleed in augustus 2012.*

 # 2 Eric Schuttelaar is overleden in juni 1990.

DE KONING DIE NIET DOOD KON

Derde acte - scène 4 (fragment)

Zaterdagmiddag. De kamer van Ada

(.....)

Ada: Hij wou u misschien wel vergiftigen...

Koning: Ja.

Ada: Maar waarom?

Koning: Misschien vindt hij het onfatsoenlijk dat iemand zo oud wordt als ik...

Ada: Vindt u 't niet erg?

Koning: Jawel, jawel... Vooral omdat hij doet alsof hij 't zo goed met me voor heeft. Maar eigenlijk wil hij helemaal niets kwaads, eigenlijk is het baantje dat hij nu heeft hem al veel te zwaar. Een vriendje van hem uit Sombrië heeft hem voor z'n karretje gespannen. Zodra de staatsgreep een feit is, komt het vriendje op de troon, niet onze minister, dat is tenminste de bedoeling...

Ada: Dat vriendje is meneer Van Haeg tot Haeg?

Koning: Ja. Die zul je morgen ontmoeten ... Dat wordt een grappige gebeurtenis!

Ada: U denkt er maar licht over..!

Koning: Ik ben te oud om de dingen te serieus te nemen. En zeker niet de ambities van een paar kwajongens...

Ada *(moet ineens vreselijk lachen)*: Heet u echt Hubertus?

Koning: Ja...

Ada: Dat wist ik helemaal niet... Wat een domme naam, ha ha ha, echt een naam voor een koning...

Koning: Nou, dat klopt dan toch?

Ada: Ja, maar geen echte, maar uit een verhaal... Hubertus... ha ha ha, noemen ze u wel es zo?

Koning: Nee, niemand...

Ada: Maar u zei zelf... 'Ik ben 't, Hubertus...' Ha ha ha. *(Ze giert het uit)* Sint Hubertus... een dooie heilige of zo.

Koning: Ja gek hè... *(Hij begint nu ook te lachen.)* Ik stond voor je deur en je vroeg: wie is daar? Toen dacht ik: wie ben ik eigenlijk, ha ha ha... 'De koning,' dat klinkt zo raar, de koning, ha ha ha... *(Ada lacht weer met hem mee.)* Net of je het over een ding hebt... een lampetkan, de koning... Toen dacht ik: ik had toch een naam, ooit... Ik moest wel even denken, toen wist ik 'm weer... Hubertus, ha ha ha. *(Ze lachen allebei.)*

Ada *(een beetje gekalmeerd)*: 't Is best een mooie naam. Mag ik u zo noemen? Hubertus..?

Koning *(veegt de tranen uit z'n ogen, lacht nog steeds een beetje)*: Ja, doe maar... Zullen ze raar opkijken, de anderen, als ze 't horen... 'Hubertus, nog een kopje thee? Graag Ada... ' *(Opnieuw gieren ze het allebei uit.)*

Ada *(komt er bijna niet uit)*: 'Hubertus, hou op met de minister te plagen... ' Hoe heet die eigenlijk?

Koning *(giert het uit)*: Karel! Ha ha ha.

Ada: Karel! Ha ha ha, Karel! 'Karel, geef Hubertus een handje...'

Ze lachen. Het lachen ebt weg.

Ada: Ik ga naar de meid. Ik wil haar zien. Ik lust wel een kopje thee...U ook?

Koning: Ja. Ik ga met je mee. Ik wil nog even de tuin in. 't Is nu nog droog.

De koning pakt z'n kroon, zet 'm niet op. Ada opent de deur voor de koning. Ze zegt glimlachend:

Ada: Na U, Hubertus...

De koning geeft Ada een handkus en gaat als eerste het kamertje uit. Ada volgt hem.

Einde van scène III - 4

Hoofdstuk 7 - Een kunstje met een hart

Ruth Horna was mijn zanglerares. Zij was al jaren de lerares van Mary. Allerlei beroemde zangers en zangeressen kwamen zich bij haar laten 'doorsmeren', zoals Jo Vincent en Gré Brouwenstein. Zelf was Ruth Horna ook een groot operazangeres geweest. Een heel enkele keer praatte ze over dirigenten die ze had meegemaakt, hoe de ene dirigent je het zingen makkelijk maakt, terwijl je bij de ander geen noot zonder moeite uit je strot krijgt. Ze was altijd positief en vrolijk. Wanneer ik in m'n ijver heftige rimpels in m'n voorhoofd trok, bij een moeilijk lied, trok zij een gek smoel en meteen ging 't zingen beter. Ze zei dingen die ik nog precies weet, zodra ik een paar tonen zing, wat ik dezer dagen nog wel es doe wanneer ik mijn eigen muziek met een pianist doorneem. Zingen kan je dat niet meer noemen, al lang niet meer. Sedert mijn langdurige ziekte rond 1980 wilde dat niet meer. Vanzelfsprekend was dat een drama. Ik zat pas een jaar of zeven in het zangvak en moest er weer mee stoppen. En de oorzaak was niet bekend. Niemand begreep wat er aan de hand was - waarom mijn stem weigerde. Ik zelf al helemaal niet. De oorlog?

Bij de zanglessen was altijd een pianist aanwezig. Joop Kat. Die man speelde alles wat je hem voor z'n neus zette. En tamelijk feilloos. Ik vond dat altijd een wonder.

Waarom Ruth Horna destijds is gestopt met zingen heb ik nooit gehoord. Ze is een tijd gaan werken in een schoenenwinkel, vertelde ze. Gelukkig is ze gaan lesgeven. Ze werd een beroemde zangpedagoge.

Ik had een paar jaar zangles. We woonden op Wageningen-Hoog, na het jaar Bennekom. Ik was weg bij Theater in Arnhem en dus hevig werkloos. Wel had ik nu alle tijd om met muziek bezig te zijn. Zo zong ik in allerlei kerken in de omgeving. De kerkmuziek is voor veel klassieke zangers de basis van hun inkomen. Zonder dat werkterrein zouden ze hun beroep wel kunnen vergeten. Gedurende de passietijd en rond de kerst moeten ze hun slag slaan, in passies, cantates en missen. Iedereen profiteert van de uitzonderlijke nalatenschap van de heer Bach. Maar er zijn het hele jaar door wel missen te zingen, meestal met een gelegenheidsorkestje waarin enkele (soms gepensioneerde) beroepsmusici meespelen en met een enthousiaste plaatselijke dirigent er voor.

Een mis van Schubert in een kerk in Ede. Naast mij stond een stevige sopraan, met uitbundig blond haar, die een andere (zieke) sopraan verving. De sopraan zong haar aria en ik viel bijna van m'n stoel van verbazing - zoiets moois had ik nog nooit gehoord, en van zo dichtbij! De engelen daalden in witte wolken uit de hemel. Daarna was het mijn beurt... Na afloop van de dienst (want de mis van Schubert was 'ingebouwd' in een heuse katholieke kerkdienst) zei de sopraan tegen mij: wat heb jij een mooie stem en ik weet van wie je les hebt, van Ruth Horna. Ze zei dat ze dat kon horen. Het bleek dat zij ook een leerling was van Ruth Horna. Haar naam: Marie-Cécile Moerdijk. Marie-Cécile had de hele wereld al rondgereisd en zich de lokale volksliedjes in een twintigtal landen en even zo veel talen eigen gemaakt en op de plaat gezet. Zij vond dat interessanter dan het gebruikelijke werk... Jarenlang had ze haar eigen radioprogramma. *# 1*

Marie-Cécile Moerdijk

Wij woonden in het huis van mijn ouders op Wageningen-Hoog, Mary en ik en de vier kinderen. M'n ouders waren voor een jaar of vijf naar Indonesië, waar mijn vader een nieuwe theeplantage op poten zette. Op Java. De thee was zijn eigenlijke specialisatie. Hij is gepromoveerd met een proefschrift over thee. Indonesië (Indië) was zijn grote liefde. Hij was er geboren en veel van onze voorouders hebben er geleefd. De eerste vrouw die om de Kaap naar Indië zeilde was een Schoorel, zo gaat het verhaal. Een eeuw of twee geleden, denk ik. *# 2*

Zoekplaatje. Bij de welpen in Indië, 1947. Het blonde jongetje is Lex Schoorel.

Na de oorlog werd (of bleef) het te gevaarlijk om in Indonesië te blijven. In augustus '47 kwamen we terug naar Nederland, met de Oranje. Ik had veel gehoord over mijn grootmoeder (van moeders kant). Die had altijd veel brieven geschreven, en tijdens de oorlog een soort dagboek, die ik laatst allemaal voor het eerst gelezen heb. Bij elkaar een document, samen met alle brieven die mijn ouders haar direct na de oorlog schreven. Zij en haar man (dominee Van Leeuwen) woonden in Arnhem, tijdens de oorlog.

Grootmoeder Van Leeuwen, mijn moeder en ik, in Putten. Januari 1948.

De Tienhoek, Puttten, januari 1948.
Helemaal links boven de voordeur is nog net het raampje van het opkamertje te zien.

Deze grootmoeder woonde in '47 in een huisje in het bos, in Putten. We kwamen aan met de bus. Het was een zeer hete zomer. Vanaf de bushalte rende ik door het bos naar waar ik dacht dat haar huis zou zijn. Daar was het niet - daar waren de buren. Maar ik kwam toch op de goede plek en de grootmoeder en haar schattige huis beantwoordden geheel aan het beeld dat ik al verzonnen had. Ik sliep in het 'opkamertje'. Om het huis heen veel dennenbomen en veel eekhoorns. Die kon ik zien vanuit m'n raam. Het gevoel van welkom en warmte is bij het kind van negen jaar diep naar binnen gegaan.

Ieder kind zou recht moeten hebben op een tedere grootmoeder met een huisje in het bos.

Later heb ik dikwijls bij mijn grootmoeder gelogeerd. Ik fietste dan vanuit Arnhem en later Wageningen naar haar toe. M'n grootvader leefde ook nog, in die tijd. Hij was al vroeg een erg oude man, met een krom en moeilijk lichaam. Natuurlijk moest ik helpen in de tuin, in het bos, hout zagen. Als we aan tafel zaten, waarboven de lamp hing met de spiegeltjes van binnen en 't gordijntje er om heen, probeerde ik hem altijd aan 't lachen te maken, met rare opmerkingen. Dat lukte wel, en hij vond dat ook wel leuk, maar in plaats van te lachen ging hij dan huilen. Mijn grootmoeder vond 't goed. Zij wist ook dat hij alleen nog kon lachen door te huilen. En ze was blij dat ik altijd zo vrolijk was.

1970. Vanwege mijn engagement bij toneelgroep Theater verhuisden wij na anderhalf jaar Vinkeveen naar Bennekom. In ons mooie huis in het bos, voor één jaar te huur, kwamen zo nu en dan muzikanten bij elkaar om mijn eerste aarzelende en zeker nog rammelende composities te spelen. Ik denk dat ik al aan de scènes van *Romeo en Julia* was begonnen. Cello, viool, fluit, althobo en de al genoemde hoorn en trompet. En zang natuurlijk. De violist kende weer een andere violist, die directeur van de Wageningse muziekschool was. Deze haalde het Russische Borodin strijkkwartet naar Nederland. Zij bleven in Nederland wonen, uit hun land gevlucht. Op een avond speelden ze in het huis van een van onze kennissen. Mary en ik waren daar bij. Met een man of tien zaten we om hen heen, in een niet al te grote woonkamer, het beroemdste strijkkwartet aller tijden, nog in de oorspronkelijke samenstelling. Op een meter afstand. Een feest was dat.

Ook werkte ik al met een pianist en zong ik liederen van Schubert en Brahms. Later kwamen daar mijn eigen liederen bij, brutaal als ik was, en het publiek kon ze wel waarderen. Na een jaar ontmoette ik de pianist Steven Hoogenberk. Met hem studeerde ik veel en we gaven met enige regelmaat kleine recitals, bijvoorbeeld in kastelen - koffieconcerten e.d. Vorig jaar schreef een journalist in Wageningen nog dat wij samen ooit de hele *Winterreise* hadden gebracht, maar dat is niet waar. Wel een groot aantal liederen uit die cyclus. En natuurlijk uit *Die Schöne Müllerin*. Ik zong ook graag Duparc en eindigde ons optreden bij voorkeur met *La Vague et la Cloche*, een onstuimig lied over een soort nachtmerrie, waarin de dichter op 't eind zegt: Waarom, o droom, heb je niet verteld waar dit moeizame leven toe leidt? Maar ook de meeste *Magelone Lieder* van Brahms stonden op ons repertoire. Daarvan bestaat een prachtige opname van Bernard Kruysen, de Nederlandse bariton. Zelfs Hermann Prey zingt die niet zo mooi, terwijl Prey toch veruit mijn meest geliefde zanger is van het Duitse lied. Véél interessanter dan Dieskau.

Dieskau is voor veel mensen de grote promotor van het Duitse lied. Dat zal wel. Zijn vertolkingen laten mij altijd koud. Ik kan horen hoe goed hij zingt, dat hij een mooie stem heeft en dat hij allerlei nuances heeft bedacht in zijn voordracht. Maar 't doet me niets. Ik zit altijd te wachten op z'n hart. En dat komt nooit.

Herman Prey,
de mooiste zanger van het Duits lied.

Bij Prey zit het hart in de allereerste noot van ieder lied. Bovendien vertolkt hij ieder lied vanuit een soort basisgevoel en basisbegrip voor dat lied, zodat ik heel snel begrijp waar het over gaat, èn wat hij er mee wil zeggen. Hij nuanceert ook, maar niet alleen met z'n kop.

Dieskau is de perfecte representant van de perfecte middelmaat, blijkbaar perfect geschikt voor een groot publiek. Prey is de niet-perfecte gigant. Prey is de artiest, Dieskau de meneer. Toch praat niemand meer over Prey, en liggen de CD-winkels vol met opnames van Dieskau, die dit jaar 80 is geworden. Prey overleed twee jaar geleden.

Natuurlijk zijn de vertolkingen van Bernard Kruysen van het Franse lied de mooiste die er zijn (gelukkig ook op een aantal CDs bewaard). Gérard Sousay is een goede tweede. Maar Schumann's *Dichterliebe* en *Liederkreis*, gezongen door Kruysen, zijn ook niet te versmaden!

Kunst zonder hart is een kunstje. Een kunstje is geen kunst. Kunst is dus blijkbaar een kunstje met een hart.

Kunst is een gevaarlijk woord. Ik gebruik het nooit. Nu wel, voor één keer. Wat de één kunst vindt, vindt de ander misschien niks. Er is nooit een duidelijke grens aan te wijzen waar kunst begint, of juist ophoudt kunst te zijn en een kunstje wordt, of een truc, of een aaneenschakeling van trucjes enz. Blijkbaar is voor mij de aanwezigheid of de voelbaarheid van het hart een duidelijk criterium. Voor een ander is dat misschien de aanwezigheid van de kleur rood.

Grappig is natuurlijk dat het woord kunst eigenlijk simpelweg betekent: dat wat iemand goed kan, van kunnen, dus. Waarmee mijn vorige redenering in duigen valt. Maar ja, iemand die goed kan fietsen noemen we nog geen kunstenaar.

Je hebt ook acteurs die heel kundig zijn in het uitoefenen van het acteursvak, die nooit iets echt slecht doen, maar bij wie ik ondanks dat nooit 't gevoel krijg dat wat zij doen *nodig* is. Laat staan dat zij mij ontroeren. De perfecte middelmaters dus.

Laatst zag ik de film *De Aanslag* weer. Die film is volgens mij eigenlijk een documentaire. Toch kreeg hij een Oscar, als speelfilm.

De acteur die de film de moeite waard maakt is Johnny Kraaikamp. Ineens verschijnt hij en op slag ben ik geïnteresseerd en ontroerd. Eindelijk is er iemand echt aanwezig, met z'n hart. Voor de rest is de film saai. Keurig, goed gemaakt, maar saai. De perfecte middelmaat. Die Oscar was dus voor Johnny Kraaikamp. De kunstenaar.

Nadat *De Aanslag* z'n Oscar had gekregen, vertelde de Amerikaanse distributeur van de films van Fons Rademakers dat hij nog steeds *Als Twee Druppels Water* de beste film van Fons vindt. Ik was daarbij. In Utrecht. Ik zat in de zaal, niet op het podium. Ik was onzichtbaar, ook al had ik Fons even een hug gegeven na de vertoning van *Twee Druppels*, toen ik op het podium was geroepen. *Twee Druppels* kreeg geen Oscar. Natuurlijk niet. Heineken had de film verboden.

Ik zag een keer de Chinese Opera. In Carré. Dat is voornamelijk acrobatiek. Geen kunst dus. Er werden verhaaltjes uitgebeeld, met bewegingen, maar ook met gezongen of gesproken (Chinese) teksten en Chinese muziek. Gelukkig stond er een uitleg in het programmablad. In één van die verhaaltjes heeft een vrouw een vriend. Maar ze had ook al een echtgenoot. De echtgenoot ontdekt de relatie van de vrouw met de vriend en wordt vreselijk jaloers. De jaloezie en de wanhoop van die man werd verbeeld doordat hij een achterwaartse salto maakte. Een echt kunstje dus. Maar het jaloeziegevoel van de man kwam zo sterk bij mij aan, *door* die achterwaartse salto, dat op dat moment het kunstje kunst werd.

Zo zag ik ooit eens een tiental bejaarde negers tapdansen. Ook in Carré. Dat was ook kunst.

Het Holland Festival 1960. Een Franse voorstelling, van *Eurydice*, van Jean Anouilh. Eerste scène. In de wachtruimte van een klein station staat de jongeman (Orphée) viool te spelen. Achter op 't toneel. Rugzaal. 't Klinkt prachtig. Ha ha, denk je dan, dat doet ie niet zelf, niet voor niets staat ie zo achteraan op het toneel. Ondertussen praat zijn vader met hem. Na een paar minuten draait de vioolspelende jongen zich om en loopt, vioolspelend, naar het voetlicht. Je bent verbijsterd. Het kunstje is kunst geworden.

I Colombaioni. Hij rijdt op een fietsje met één wiel. Hij kan het niet goed. Steeds moet hij terug naar de linker lijst van het toneel om zich vast te houden. Toch lukt ‘t hem om steeds verder te komen. Bij de vierde of vijfde keer komt hij bijna tot bij de rechterlijst van het toneel. Dan raakt hij in paniek en racet, fietsend, terug naar de linker lijst van het toneel, om zich *daar* weer vast te houden. Kunstje wordt kunst.

IJsland. Een film. De taxi rijdt snel over het kale land. Emotionele toestanden zijn er aan de hand geweest. De taxichauffeur (alleen in de auto) hoort op zijn autoradio een bericht dat te maken heeft met wat zich hiervoor heeft afgespeeld. Wij weten dat dit bericht bij hem een grote schok teweeg moet brengen. Wat zien we? Stilstaand long shot van ‘t kale land. Daarin rijdt van links naar rechts, op zeer grote afstand, de taxi. De taxi vermindert vaart. Staat stil, midden in het beeld. Blijft stilstaan. Een minuut. Stilte. Wij voelen de tranen van de chauffeur. Dan, na die lange minuut, nog steeds in dat stilstaande long shot, keert de taxi langzaam en rijdt, langzaam, weer links het beeld uit. Verder rijden was niet meer nodig. De filmmaker heeft ons ‘t werk laten doen. Kunst!

Ingmar Bergman. De man in de film loopt van pure jaloezie en wanhoop langzaam tegen een wand van zijn kamer op. De zwaartekracht werkt niet meer. God, wat doet dat pijn bij mij, de toeschouwer. Kunst.

Uiteindelijk verdwijnt alles. Al onze mooie kunstwerken zijn op een gegeven moment weg. Zelfs alle Rembrandts en van Goghs en Vermeers – over een paar honderd of een paar duizend jaar zijn ze tot stof vergaan. En dat is dan nog lang! Theater en muziek zijn direct weg. Ze zijn super éénmalig. Gelukkig kunnen we muziek goed registreren, tegenwoordig. Maar over (laten we ‘t ruim nemen) 1000 jaar wordt er niet meer naar meneer Bach geluisterd. En de spaarzame kopieën van Laurel en Hardy en de enkele overgebleven kopie van *Twee Druppels* en al die honderden mooie films zijn dan allemaal stof geworden. Mijn gevoel is dat onze ‘civilisatie’ dan allang niet meer bestaat, dat er tegen die tijd sowieso geen leven op aarde meer is, dus wie zou er nog moeten luisteren naar Bach of moeten lachen om Laurel en Hardy? Wat ik maar wil zeggen: wij stellen erg weinig voor, met onze kunst en onze kunstjes.

Toch denk ik dat we misschien wel iets wezenlijks kunnen bijdragen aan het welzijn van het universum, zelfs als piepkleine kunstenaars op deze piepkleine aardbol, in ons piepkleine leventje, namelijk iets van ons hart. Ik heb 't gevoel dat er wat overblijft, ergens, in welke vorm dan ook, van alles wat wij met ons hart bijdragen aan het leven. En ik denk dat wij kunstenaars in een uitverkoren positie zijn om dat te doen. En dat wij dat dus ook moeten proberen. Wanneer ik Hermann Prey hoor zingen denk ik: iets van deze man leeft door, hoe dan ook, waar dan ook, ook als al z'n platen tot stof zijn vergaan. Wanneer ik Bruno Cremer zie spelen als Maigret, of als ik Glenn Gould hoor piano spelen, of als Bernard Kruysen *Phidylé* zingt – iets van die harten moet toch ergens overblijven…

Bruno Cremer als commissaris Maigret.

Het luisteren naar één lied kan je leven veranderen.

Helaas is het klassieke lied het stiefkind in de muziekpraktijk. Ik droom er al jaren van om ergens in Nederland een liedhuis te runnen. Zo zou het ook moeten heten: Het Liedhuis. Een huis ergens 'buiten', met een grote ruimte, een oude school of een boerderij bijvoorbeeld, waar ik ook zou wonen. In de grote ruimte zou een mooie vleugel staan en er zou plaats zijn voor een honderdtal toehoorders. Het liedhuis zou permanent beschikbaar zijn voor klassieke zangers en pianisten (ook uit het buitenland natuurlijk) die hun liedrepertoire willen studeren en eventueel uitvoeren ter plekke, voor een klein publiek. Bij wijze van try-out. Zangers en pianisten zouden elkaar daar ook moeten kunnen ontmoeten om elkaars interpretaties te leren kennen, eventueel in aanwezigheid van de componisten. Een soort laboratoriumtheater voor het lied dus. Maar wel uitsluitend voor het klassieke lied, ook het hedendaagse klassieke lied.

Eigenlijk wilde ik wel naar het circus, toen ik op de toneelschool kwam. Ik was fysiek tot veel in staat. Ik kon bijvoorbeeld goed doodvallen, of, dood of levend, van een trap af rollen zonder me te bezeren. Toen ik een jaar of veertien was oefende ik salto's in de tuin van m'n ouders. Een kuil gevuld met takken en bladeren, om op terecht te komen. Voor als ik niet precies uitkwam op m'n voeten.

Gedurende de eerste drie maanden van klas 1 zat er een donkerharig meisje op de toneelschool, Shera, die ook graag naar het circus wilde. Zij heeft dat ook gedaan, geloof ik, toen ze toch van school werd gestuurd met de kerst. Zij nam ons dikwijls mee naar het zigeunerorkest dat iedere avond in het grote café/restaurant aan het Willemsplein speelde. Heette dat Royal? Dat gebouw is nu al zo'n 25 jaar een bank. Is 't niet doodzonde? Maar ik mocht de toneelschool afmaken, dus dat deed ik natuurlijk. De circusambitie ebde weg.

Hij heette Jacques Snoek. Een wat oudere acteur, die ter gelegenheid van het tienjarig bevrijdingsfeest in Wageningen met onze school (de HBS en 't Gymnasium) een toneelstuk instudeerde. Ik zat in de vierde klas. De grote rollen werden gespeeld door de docenten. *De Perzen*, van Aeschylus. Ik maakte deel uit van 'het koor', dat bij dat soort stukken niet zingt maar spreekt, voor de goede orde. Ik droeg een prachtige grijze jurk. Wij allemaal. Ik herinner me dat de grimeur er niet in slaagde mij wat ouder te schminken, ondanks m'n aangeplakte baard. *# 3 en # 4*

Ik was diep onder de indruk van het hele gebeuren. De leraar Engels speelde de bode, die het bodeverhaal kwam vertellen. In die Griekse stukken komt geheid een bode een bodeverhaal vertellen, want één van de regels bij het Griekse theater was dat de handeling zich maar op één plaats mocht afspelen. Dus iets wat een eindje ver-

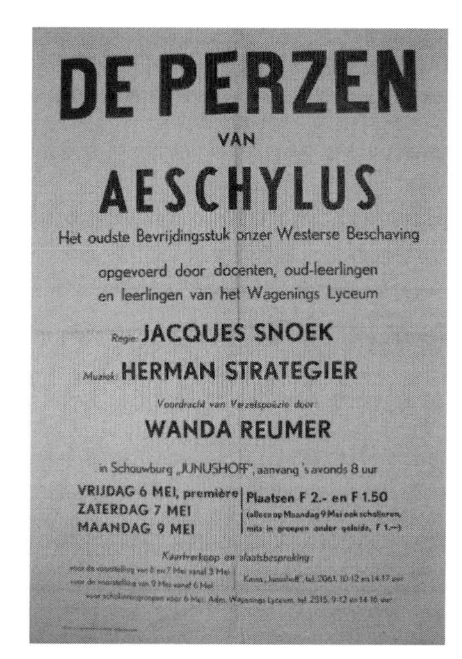

derop gebeurt moet verteld worden. Door een bode. Meestal zijn dat verslagen van verschrikkelijke gebeurtenissen. In dit geval een zeeslag, geloof ik.

De leraar Engels deed dat fantastisch. Van Limburg heette hij. Hij was in de klas altijd een zeer stille, kleine man, maar dit verhaal knalde hij er met veel verve en emotie uit.

Op mijn toelatingsexamen voor de toneelschool koos ik dat bodeverhaal uit. Ik dacht: ik zal ze es even een poepie laten ruiken. Het goede voorbeeld zat nog vers in m'n geheugen en ik werkte vol overgave, thuis, aan mijn eigen interpretatie. Ongetwijfeld heeft deze monoloog de doorslag gegeven tot mijn toelating. Verder had ik een gedicht van Slauerhoff gekozen om te 'zeggen'.

De Perzen, 1955. Het kleinste oude mannetje links in het midden is de schrijver van dit boek.

1 Naar aanleiding van mijn pianokwartet schreef Marie-Cécile mij lovende woorden. De laatste tien jaar hebben wij weer veel contact. Lees daarover de verhalen in *BOEK II*.
2 In *BOEK II* hoofdstuk 8 kunt u twee brieven lezen die een paar jaar geleden opdoken, die ik in die jaren schreef aan mijn ouders in Indonesië. Die brieven geven een duidelijk beeld van hoe complex de overgangsfase van het theater naar de klassieke muziek voor mij was.
3 Een verre vriend die ik (in 2010) het voorlopige script van *Het Krimpende Hart* liet lezen en die destijds ook in de voorstelling van *De Perzen* meespeelde, ook in het koor, wist zich de openingsregels van dat koor nog te herinneren. Ik meen dat wij die gezamenlijk moesten declameren:

Van het Perzische volk, dat naar Hellas ten strijd
is getogen, staan hier de Getrouwen des Rijks
en behoeders der woningen, schitt'rend van goud,
naar jaren en rang door Xerxes zelf,
door den telg van Darios, den koning en heer,
gekozen om 't land te bewaken.

4 In het programmaboekje van De Perzen, dat zowaar opdook in het gemeentearchief van Wageningen, stond vermeld dat het (mooie!) decor gemaakt was door de tekenleraar Douwenga, met assistentie van de leerlinge Anneke Banga. Over hen beiden vertel ik nog iets in hoofdstuk 9, blz. 166. Anneke Banga was (25 jaar later) in Hilversum gedurende een aantal jaren mijn huisarts…

DE KONING DIE NIET DOOD KON

Vierde acte - scène 3

Zeven maanden na de derde acte. Winter. Bij de boerderij van Siem. Een zeer wit landschap. Siem heeft zojuist het paard ingespannen voor de arreslee.

Ada komt aangefietst door de sneeuw.

Ada: Hoi! *(Ze zet haar fiets tegen de muur van de boerderij.)*
Siem: Hallo. Ik ben bijna klaar.
Ada: Koud is 't hè?
Siem: Ja. Je hebt niet eens een muts op, gek!
Ada: Nee. Ik ging een beetje haastig weg. Ik had zin om je te zien.
Ada is bij Siem gekomen en ze kussen elkaar even. Ze bekijkt nu de arreslee.
Doet ie 't goed?
Siem: De slee of 't paard?
Ada: De slee natuurlijk.
Siem: Ik heb 'm twee jaar niet kunnen gebruiken. Te weinig sneeuw. Misschien valt ie onderweg wel uit elkaar.
Ada: Nee hè!
Siem: Weet je veel. Alles kan. Hebben we morgen geen kroning!
Ada: Dat kan niet hoor!
Siem: Wees maar niet ongerust. Klim er maar in.
Ada: Pas als je klaar bent. Ik heb 't koud.
Siem: Zet mijn muts maar op. Ik pak wel even een andere.
Ada zet Siems muts op. Ze staat zich warm te springen naast de slee.
Siem: Zo. Klaar is Kees. Je hebt echt helemaal niks van een koningin.
Ada: Ben ik ook niet.
Siem: Morgen wel.
Ada:: Vandaag niet.
Siem: Ik heb zin om met je te vrijen.
Ada: Kan niet. We hebben een afspraak. En niet zó maar één.
Siem: Na de afspraak dan.
Ada: Morgen. Morgenavond. Na 't feest.

Siem: Vinden ze dat wel goed?

Ada: Een koningin maakt zelf uit met wie ze vrijt en wanneer.

Siem en Ada staan nu dicht bij elkaar.

Siem: Goed. Morgenavond.

Ze kussen elkaar heel even. Siem kijkt Ada aan. Plotseling moet hij vreselijk lachen.

Ada: Wat is er nou, gek?

Siem *(lachend)*: Morgen vrij ik met een koningin, ha ha ha.

Ada: Nou wat zou dat nou? Dat is toch niks bijzonders?..

Siem *(lacht nog)*: Noem dat maar niks bijzonders... Ik vind 't wel goed geregeld van mezelf!

Ada: Je moet niet lachen. Je maakt me verlegen.

Siem wordt nu stil. Ze staan stil en liefdevol tegenover elkaar.

Ada: Ik vind 't ook best moeilijk. Of moeilijk... raar. Weet ik veel... Ik doe wel zo flink, maar eigenlijk... Ik probeer er zo min mogelijk aan te denken... Ik doe net of 't heel gewoon is, maar 't is natuurlijk niet gewoon...

Siem; Wel waar.

Ada: Natuurlijk niet.

Siem: Wel waar.

Ada: Niet.

Siem: Jawel. Voor een ander zou 't heel ongewoon zijn. Maar jij bent van jezelf al zo ongewoon, dat 't voor jou gewoon is. En dat is juist zo leuk. Je bent een ongewoon gewoon mens.

Ada: Zou dat 't zijn?

Siem: Ja. Dat is 't. Jij kan koningin worden zonder dat je daar de dag tevoren aan hoeft te denken. Jij. Dat is nou juist zo leuk aan je.

Ada: Hou je dáárom van me?

Siem *(plaagt)*: Wie zegt dat ik van je hou?

Ada: Oòòh! *(Ze pakt de muts van haar hoofd en gooit 'm naar Siem.)* Schoft!

Siem *(ontwijkt Ada's aanval en gooit de muts terug)*: Hou die muts nou op! Ik haal even een andere. *(En hij loopt al richting boerderij.)*

Ada *(roept)*: Siem! *(Siem staat stil. Ada zegt zachter)*: Zeg dat je van me houdt... *(Siem is verbaasd. Dit heeft ze nog nooit gezegd. Ada voegt eraan toe, als een klein meisje)*: Anders heb ik niemand...

Siem loopt langzaam naar Ada toe.

Siem: Je bent de liefste en de gekste koningin, en ik hou van je.

Ada *(zacht)*: Gelukkig.

Siem: We moeten gaan, we zijn al laat.

Siem verdwijnt nog even in de boerderij. Ada stapt in de slee. Siem komt terug met een andere muts op; hij stapt ook in de slee. Hij pakt de teugels en de slee rijdt weg. De bellen rinkelen.

Einde van IV - 3.

Deel III - Sweet bird of youth

Hoofdstuk 8 - *Make it snappy*

Toen ik elf was werd ons nieuwe huis gebouwd, op Wageningen-Hoog. We woonden nog op de Hoogkamp in Arnhem. Soms, in het weekend, fietsten m'n vader en ik van Arnhem naar de plek waar het nieuwe huis kwam, langs de buitenkant van Oosterbeek, bijna voortdurend door de bossen dus. Het terrein van ons nieuwe huis was bijna helemaal hei, met een paar kleine boompjes. Later werd het vanzelf bos, met een paar restjes hei. Tot ook die verdwenen. 't Was een uur fietsen. Aan de hand van de kuil die de kelder moest worden, de paar muurtjes en de stellages kon ik me geen voorstelling maken van hoe het huis er moest gaan uitzien. 't Bouwen ging niet snel, want het weer zat tegen. Eerst vaak te nat en later te koud. In de winter was het huis toch klaar, plotseling, want we verhuisden in februari. Een maand later werd m'n jongste broer daar geboren. De muren in het huis waren gestuukt en nog nat van nieuwigheid. Je kon er zo een deuk in duwen met je vinger. We mochten er dus niet aankomen. Een kennis van m'n ouders had voor de gelegenheid een taart gebracht.

Links: twaalf jaar, Hoogkamp, Arnhem. Rechts: twee jaar, Buitenzorg, Indië, 1941.

Roze van boven en mierzoet. Niemand vond 'm lekker. De taart rook naar iets onprettigs en het hele huis rook naar de taart. Een jaar later nog steeds.

't Huis was piepklein voor ons zevenen. Maar ja, toch superdelux wanneer je niet zo lang daarvoor nog uit een oorlog bent gekomen en met twaalf mensen in één keuken moest 'wonen'. Het eerste geluid in de ochtend werd gemaakt door m'n vader, om half zeven, wanneer hij de ketel van de centrale verwarming aanmaakte, of probeerde brandende te houden. De ketel werd gestookt op kolen. Een jaar of tien later kwam er een gasketel.

Het leven op Wageningen-Hoog vond voornamelijk buiten plaats, zodra en zolang het weer dat toeliet. Na schooltijd was ik met een voetbal in de weer bij de garage, in m'n eentje. In de tuin werden de gasten ontvangen, werd in de zomer het warme middagmaal genuttigd en werd gespeeld door kinderen en kleinkinderen. Behalve bomen en hei waren er bloemen en was er een moestuin. Ook kwam er een kas, waar m'n vader zijn geliefde hobby de orchideeën kon botvieren. Hij was daar vaak, tot kort voor z'n dood. In de jaren waarin ik van het toneel naar de muziek overstapte woonden Mary en ik in het huis op Wageningen-Hoog, met de vier kinderen. Het waren de laatste vijf jaren voor m'n vaders pensioen, toen hij weer in Indonesië was.

Toen m'n vader gestorven was heeft m'n moeder er nog een jaar gewoond. Manjula en ik logeerden er in het voorjaar van '90, Manjula met een nog bijna kaal hoofd, kort na haar operatie. Tussen de enorm hoge paarse Rododendrons zat ze te tekenen in de voorjaarszon. Toen werd het huis verkocht, voor een zacht prijsje, op de wijze zoals m'n vader het blijkbaar al voor z'n dood had beslist. Zonder overleg. Roemloos verdween veertig jaar historie van drie generaties Schoorel in de vergetelheid. Niemand van onze familie voelt nog de behoefte er een kijkje te nemen. De gedachte aan het verloren paradijs schrijnt, in elk geval bij mij.

Op de H.B.S. was ik een zeer stil en teruggetrokken mannetje. Ik ging met één andere jongen om, die voordien in Australië had gewoond. We hadden één ding gemeen: we waren uitersten. Ik was de domste van de klas, hij de intelligentste van de hele school. Mijn eindexamen was een aanfluiting, hij slaagde met een gemiddeld cijfer van 9½. Ik las op z'n hoogst een enkel boek van Aart van der Leeuw en Arthur van Schendel, hij las boeken van Aldous Huxley, in 't Engels, natuurlijk. Ik werd acteur, hij werd... piloot bij de KLM. Hij had geen zin in de universiteit. Een jaar of tien later is hij alsnog wiskunde gaan studeren en sedert tientallen jaren is hij in Amerika een beroemde professor. Wij gingen vaak tafeltennissen samen, 's avonds, in de hal van het dan lege, grote kantoorgebouw waar mijn vader de directeur was.

Er waren drie vakken waar ik goed in was: gymnastiek, tekenen en Nederlands. Nederlands kregen we van meneer De Vries. Hij was ook lang in Indonesië geweest, had ik begrepen. Ik vermoed dat hij dezelfde meneer De Vries was die Nederlandse les gaf aan Helga Ruebsamen, toen ze als kind op de boot naar Nederland voer, uit Indië (zie haar boek *Het Lied en de Waarheid*). Maar dat was wel een jaar of tien eerder. Meneer De Vries was een lieverd. Iedere week, op de laatste lesdag, nam hij een gedichtenbundel mee, steeds een andere, en daar las hij dan uit voor. Twee of drie gedichten. Meer niet. Hij zei altijd: je ziet maar wat je er mee doet - het boekje is te koop in de boekwinkel. Bijna niemand kocht zo'n boekje dan. Meneer De Vries had niet de illusie dat er veel interesse bestond in onze klas voor het vak dat hij doceerde, en daar had hij gelijk in. Hij gaf dus zeer ontspannen les en bespaarde zichzelf daarmee een voortijdige hartaanval. Toen een jaar of zes na m'n schooltijd de film *Als Twee Druppels Water* uitkwam, schreef hij mij een aardige brief. Hij was apetrots. Meneer De Vries heeft mij iets blijvends gegeven, met z'n aardige lessen en met z'n gedichten.

Eigenlijk was ik in alle talen wel goed, maar doordat ik al m'n tijd moest steken in het maken van m'n huiswerk voor de exacte vakken, deed ik nooit iets aan m'n talen. Jarenlang zat ik iedere avond tot middernacht te blokken op wiskundesommen en 's ochtends om zes uur al weer. Om half elf 's avonds liep m'n vader langs de eettafel waaraan ik zat te zwoegen, op weg naar z'n bed, en steevast zei hij: *make it snappy*. Wat zoveel wil zeggen als: maak 't niet te laat. Ja, hallo, dacht ik dan, heb ik een keus? Maar ik zei niks. Wij verspilden weinig woorden aan elkaar.

Ik had dolgraag naar het gymnasium gewild, maar dat was niet *done*. Het gymnasium werd geacht een 'meidenschool' te zijn. En alle voorvaderen van vaders kant hadden de H.B.S.-b volbracht, dus waarom ik niet? Vooral scheikunde was een ramp. Dat kwam ook door de docent. Hij was tevens rector van de school. Zodra hij de klas binnenkwam zakte er een grauwsluier over mijn hersenen. Ik hoorde niet wat die man zei, op de een of andere manier was ik allergisch voor hem.

Hij was ook ouderling. Een ouderling is een vooraanstaand lid van de kerk, die tijdens de zondagse bijeenkomsten vooraan zit. Een stuk of tien van die mensen zitten dan vooraan, ongetwijfeld in donkere pakken. Ik geloof allemaal mannen, toen althans. Nu wilde het geval dat ook mijn vader ouderling was. Deze samenloop van omstandigheden heeft er vermoedelijk toe bijgedragen dat ik voor mijn eindexamen H.B.S.-b ben geslaagd. Want eigenlijk had ik voor scheikunde een 1 moeten hebben. En wie een 1 heeft slaagt niet. Het werd een 6. Ook voorkwam het contact tussen de rector en mijn vader dat ik de vierde klas mocht doubleren, iets waarom ik zelf had gevraagd. Ik vond mezelf veel te jong om over te gaan en wilde bovendien wel eens een makkelijker jaar.

Vanaf de tweede klas van de H.B.S. was ik een domme leerling.

Rechts boven: Zus Marjet en nicht Wil Schoorel, poging tot aanleg van een eigen tuintje. Links boven: 1951. Vader en moeder achter het huis. De zandvlakte zou later een weelderige tuin worden. Onder: 1952. Vrolijke kinderen Schoorel op Wageningen-Hoog. V.l.n.r.: nicht Marieke, zus Ineke, nicht Wil, broertje Wouter in de box, broer Edmond voor hem, daarnaast Lex (13 jaar) en rechts neef Bram van Leeuwen. Zus Marjet ontbreekt op de foto.

Klas 1 ging nog goed. Ik herinner me trouwens dat ik aan het eind van klas 1 protesteerde tegen 't eindcijfer van een bepaald vak, dat volgens mij een heel punt hoger moest zijn - een 8 in plaats van een 7. Ik kreeg gelijk! Volgens mij was 't wiskunde. Maar vanaf klas 2 is er iets gebeurd. Later heb ik me vaak afgevraagd wat dat geweest is. Plotseling was ik dom. Zeker had ik een hekel aan al die exacte vakken, maar dat was het niet alleen. Ik denk dat ik ook in m'n onderbewuste heb willen 'bewijzen' dat ik niet kon leren. En dat ik op die manier vorm gaf aan m'n protest. "Zie je wel, ik ben dom, dus 't is niet terecht dat ik op deze moeilijke school zit." Ik kreeg niet m'n zin - ik heb de H.B.S. moeten afmaken. Kreeg direct bijles in scheikunde, bij iemand thuis. Een jonge geleerde die net getrouwd was en een baby had en in wiens huis altijd een onaangename weeë geur hing. Die bijlessen hielpen dus ook niets, ze versterkten integendeel mijn zelfbeeld als 'oen'.

Eigenlijk denk ik dat ik de exacte vakken best voldoende had aangekund. Zo nu en dan haalde ik er goede cijfers voor. Voor m'n eindexamen beschrijvende meetkunde had ik een 10! Er waren andere factoren waardoor mijn weerzin of mijn onkunde zich manifesteerden. Sommige daarvan kan ik bevroeden, sommige weet ik domweg niet. Eén ervan was dus de persoon van wie ik les had. Bij de leraren natuurkunde en scheikunde presteerde ik sowieso in het geheel niet. Maar ik was ook boos. Vooral op m'n vader, denk ik. Ik wilde hem iets 'betaald zetten' wat dat dan ook was. Ik wilde hem straffen met een domme oudste zoon. Natuurlijk leed ik zelf het meest onder die straf, maar in die jaren waren al mijn drijfveren zeer duister voor mijzelf. Maar er was meer aan de hand. Van jongs af aan heb ik niet begrepen waarom 'leren', dus kennis verzamelen, heilig was, of zelfs maar nuttig. Niet iedereen is in de wieg gelegd om naar de universiteit te gaan. En zij die dat wel doen zijn daarmee nog geen betere mensen dan anderen, die werk doen waarvoor een universitaire opleiding niet nodig is. Laat staan dat die 'geleerde' mensen een intelligenter leven leiden. Toch verdienen mensen die 'gestudeerd' hebben gigantische salarissen en een groot aanzien vergeleken met anderen. Ik vind dat vreemd. En dat vond ik als kind ook al. Ik vind een chirurg niet belangrijker dan een bakker of een boer, zelfs niet belangrijker dan de man die zo vriendelijk is om iedere week (voor een extreem laag salaris) mijn afval weg te komen halen. De verschillen in waardering en honorering bij de verschillende beroepen is absurd en geheel onterecht. In een rechtvaardige en intelligente maatschappij, wanneer wij die ooit nog voor elkaar krijgen, zal dat dan ook niet meer zo zijn.

Gedurende de hele schooltijd was ik één keer verliefd. Ik zat in klas 4 denk ik. Ik uitte mijn liefde door met het meisje naar de bushalte te lopen, van school naar het centrum van Wageningen, zo'n 500 meter, en haar bij de bushalte een paar van mijn mooie tekeningen te laten zien. Ze woonde een paar dorpen verderop. Daarna fietste ik weg, naar huis. Met Sinterklaas kreeg ik in een leuk bedoeld gedicht commentaar op mijn pril geluk en dat vergalde de boel. Ik was gekwetst.

Op onze school zaten ook de twee mooie dochters van een plaatselijke chirurg. Van die volmaakte meiden als uit een tijdschrift, die mij voor mijn gevoel een heel leven vooruit waren. Ze leken het altijd naar hun zin te hebben en werden natuurlijk omringd door flitsende stoere binken. Mij zagen ze niet staan, daar zorgde ik wel voor. Mijn bewondering voor mooie meisjes was met afstand en angst. Angst om afgewezen te worden, om niet goed genoeg te zijn, denk ik. En 't is waar, ik was een sulletje, een binnenvetter. Toen ik ze na afloop van een schooldag toch een keer heimelijk stond te bewonderen, reeds half zittend op m'n fiets, langs de stoep voor de school, en met m'n fiets toevallig een paar centimeter de helling afzakte, achteruit, reed ik over een scherp steentje. Er was een striemend gefluit van mijn leeglopende achterband. Dat bedoel ik. Zulke mooie meiden - daar moest ik niet te dicht bij in de buurt willen komen. Het fluitende geluid van mijn lekke achterband en de mooie dochters van de chirurg - voor eeuwig horen ze bij elkaar.

De chirurg heeft mij wel mijn blinde darm ontnomen, toen ik in de derde klas zat. M'n ouders moesten een paar weken naar het buitenland, denk ik, dus kwam mijn andere grootmoeder oppassen. Oma Coos, de moeder van mijn vader. Maar toen was ik al weer uit het ziekenhuis en thuis. Toen ik bijkwam uit de narcose werd ik stapelverliefd op 't eerste gezicht van de eerste verpleegster die toevallig over mijn bed gebogen stond. Uit een narcose ontwaken is een soort geboorte, denk ik. Zoals je bij je echte geboorte meteen verliefd wordt op je moeder, zo was nu de beurt aan deze verpleegster. Manjula heeft iets vergelijkbaars gehad na haar tweede operatie. De verpleger op de intensive care heeft ze, bij haar 'ontwaken', vergaande voorstellen tot intimiteit gedaan, zo realiseerde ze zich later, en ik meende ook al iets speciaals te merken aan de brede *smile* van de jongeman, toen ik haar kwam opzoeken, direct na de operatie.

Een paar dagen later, in het ziekenhuis, kreeg ik een tennisracket van m'n vader. Ik had nog nooit getennist, maar 't was een mooi racket van een echt merk, dus ben ik maar een beetje gaan tennissen. Niet veel. Ik kon 't niet goed. M'n vader had van die onhandige manieren om z'n liefde te tonen. Maar ik vond 't wel erg leuk, en aardig, herinner ik me.

Oma Coos paste dus op. Er waren inmiddels vijf kinderen. M'n jongste broer was twee jaar. Maar misschien was hij wel ergens anders gestald. Oma Coos kon goed zingen. In de keuken stond ze te zingen. Dat was een verrassing voor me, ik had dat nog nooit eerder gehoord. Ze nam mij wel een paar keer mee naar klassieke concerten in het Kurhaus, in Scheveningen, waar zij woonde. Op zondag, tijdens onze vakantie. Ook mijn neef was daarbij, die was even oud als ik. Zij vond dat goed voor onze educatie, die concerten, en zelf hield ze kennelijk van klassieke muziek. Ik ben haar daar erg dankbaar voor. Die concerten hebben bij mij wel iets losgemaakt waar ik veel, veel later 'op door kon gaan'. Klassieke muziek was in ons huis niet prominent aanwezig, ook al zong mijn moeder zo'n dertig jaar lang in het Wageningse Toonkunstkoor.

Dat voorjaar, toen ik na vijf dagen weer terug was uit 't ziekenhuis, mocht ik nog drie weken extra thuis blijven. Prettig was dat. Oma Coos zag er op toe dat ik iets aan m'n huiswerk deed. Ik rustte uit en hoefde niet naar school. Ondertussen had ik alle tijd om m'n proefwerken van allerlei vakken voor te bereiden. Terug op school haalde ik voor al die laatste proefwerken van het schooljaar alleen maar goede cijfers. Ik weet bijvoorbeeld nog dat ik op de drie rapporten van dat jaar voor Frans resp. een 4, een 6 en een 8 had, wat resulteerde in het overgangscijfer 7. Daar waren de blinde darm en de verplichte rust dus wel goed voor geweest.

Overigens openbaarde de pijnlijke blinde darm zich bij de bushalte voor het huis. M'n vader en ik brachten m'n opa en zijn tweede vrouw naar de bushalte, schuin voor ons huis. Opa Daddy en tante Til. Ze waren bij ons op bezoek geweest. Opa Daddy was zelf arts geweest. Ineens kwam de pijn in m'n buik. Hij zei dat dat heel goed m'n blinde darm kon zijn. De chirurg zei na afloop van de operatie dat hij er aan twijfelde of die wel nodig was geweest - hij had niets verkeerds kunnen ontdekken. Opa Daddy kwam vanuit Velp vaak op een Solex, en tante Til dus ook. Zo'n brommertje met de motor op het voorwiel. Dit keer waren ze blijkbaar met de bus. Oma Coos was dus de eerste vrouw van Opa Daddy. Zo hadden ze allebei iets met m'n blinde darm te maken, ook al hadden ze elkaar misschien al 30 jaar niet gezien. En ik was wel mooi even geopereerd door de vader van die twee mooie meiden.

Later, met schaatsen, was ik nog eens verliefd. Er was natuurijs. De baan in Renkum. Ik kon een beetje schaatsen. Genoeg om mee te doen in de lange sliert die we vormden. Tien achter elkaar. Vastpakken bij elkaars middel. 't Achterste meisje was mijn vlam. Daar achter ik, als laatste. Wat een schitterend excuus om haar even bij haar middel te mogen pakken. Veel meer weet ik niet meer van haar af. Ze was een heel gewoon meisje, met lang krullerig haar, en ze geurde naar meisjesgeheimen.

Mijn vader was ongelooflijk vroom. Niet van huis uit, voor zover ik dat kon bevroeden. Eigenlijk was hij, naar mijn gevoel, een prettige heiden. Een *pagan*, een levensgenieter. Hij had een aangeboren hartelijkheid en ook iets ongecompliceerds. En hij was gul. Hij had veel interesses en kon goed met mensen omgaan, bijvoorbeeld met de Indonesiërs, maar ook met alle 'knappe koppen' die hem z'n hele leven uit hoofde van z'n beroep omringden. Mijn gevoel is dat mijn vader vroom is geworden ter wille van mijn moeder. Mijn moeder is dochter van een dominee.

Een paar jaar en drie kleine kinderen na hun ontmoeting brak de oorlog uit, in Indië. Mijn vader moest als reservist een geweer pakken en werd na enkele dagen of weken door de Japanners in een krijgsgevangenenkamp gestopt.

Buitenzorg, Indië, 1942. Medewerkers van het Theeproefstation West Java onder de wapenen. De Japanners komen er aan. Vooraan, tweede van rechts, mijn vader.

Mijn moeder en haar drie kleintjes, onder wie ik, belandden in de bekende vrouwenkampen. Wij zaten daar 3½ jaar. Wij overleefden het, hetgeen een wonder mag heten, mijn vader overleefde het, ook een wonder.

Na de oorlog hervonden mijn ouders elkaar. Ik herinner me dat ik meende mijn vader te herkennen toen hij, staande in de achterbak van een open vrachtwagen, samen met nog twintig of dertig andere mannen, ons kamp werd binnengereden. *# 1*

Wat ik me zeker herinner is het heerlijke Zweedse wittebrood dat we te eten kregen, kort na de oorlog. Drie en een half jaar was ik de enige man in het gezin geweest. Alle aandacht van mijn moeder ging naar ons, de kinderen, vanzelfsprekend. Door haar zorgen hebben wij de oorlog overleefd, denk ik. Plotseling was er weer een echte man in het gezin en natuurlijk richtte mijn moeders aandacht zich weer op hem. Dat is zo gebleven. Mijn vader was een vreemde, mijn moeder werd een vreemde.

Mijn ouders praatten nooit over de oorlog. Tenzij over de oppervlakkige feiten. Ik heb het altijd jammer gevonden dat mijn moeder haar verhaal nooit heeft opgeschreven. Ze moet zo veel hebben meegemaakt, niet alleen tijdens de oorlog. Ze was nog piepjong toen ze m'n vader (in 1936 of 1937, ze was al met hem getrouwd) achterna reisde naar Indië. Ik heb geen idee hoe ze alles heeft ervaren. Misschien heeft de oorlog zulke diepe littekens nagelaten in haar wezen, dat zij er niet over *kan* praten. Of schrijven.

Op het strand van Morotai, Indië, eind 1945.

Vader (als officier van wapening) en moeder, Marjet, Lex en Ineke.

De periode direct na de oorlog was hectisch en erg gevaarlijk, door de plotseling opgelaaide Indonesische vrijheidsstrijd. Mijn vader moest weer 'onder de wapenen' en reisde van hot naar her, van de ene onduidelijke en gevaarlijke situatie naar de volgende. Mijn moeder reisde hem voortdurend achterna, met haar kroost. Daardoor zagen wij in korte tijd veel van Indonesië, maar onder belachelijke omstandigheden. Wij vlogen in vliegtuigen die redelijkerwijs niet meer in een toestand waren om de lucht in te komen.

We kwamen terecht op een van de noordelijkste eilanden van Indië: Morotai. We leefden in een tent. Om ons heen werd zo nu en dan geschoten. Er waren Australische soldaten met grote rubberboten.

Vanuit die boten visten zij met behulp van handgranaten. Soms ging dat mis, dan hoorde ik als klein jongetje dat er weer een paar dood waren. Van die soldaten dus. Eén keer maakten we een uitstapje naar een ander eilandje. We gingen er heen met een motorboot. Dat eiland had een spierwit strand. Je kon er mooi de zee in. Ik kon niet zwemmen. Ik dreef op m'n rug en was me niet bewust dat ik steeds verder de zee in 'zwom'. Mijn oudere zusje kwam me redden, met een oude opgeblazen binnenband van een auto. Morotai had bossen - daar groeiden de papaja's in het wild, zo voor het plukken.

Ik denk dat de periode van drie en een half jaar dat zij elkaar niet zagen, en de ontberingen, en de periode direct na de oorlog, de behoefte van mijn vader om voortaan voor eeuwig bij mijn moeder te zijn en het heel goed met haar te hebben, zeer heeft versterkt. Hij was dol op haar en wilde alles voor haar doen, ook geloviger zijn dan de Paus.

Naarmate zijn jaren vorderden werd dat nog sterker. Toen hij een keer (op mijn verzoek) een toneelstuk voor kinderen van mij las, was hij erg boos over het feit dat de heks een paar keer "getverdemme" riep. Daarmee beledig je grote delen van de bevolking, zei hij. Ik begreep eerst helemaal niet wat hij bedoelde. Verder zei hij niets over het stuk, terwijl hij voorheen tranen kon lachen over de hilarische momenten in mijn toneelvoorstellingen, wanneer ik hem daarover vertelde.

Mijn vader had 't erg moeilijk met mij. Op school was ik een kneus, een belediging voor de traditionele intelligentie van het Schoorellenras, toen koos ik er voor om naar de toneelschool te gaan terwijl ik toch zo aardig kon tekenen (ook al vond hij mijn sombere zelfportretten griezelig), toen liep m'n huwelijk mis, toen veranderde ik van beroep, toen liep m'n volgende huwelijk mis en werd ik ook nog onduidelijk ziek - wat was ik toch voor een stumper? In de jaren dat ik ziek was heeft hij me één keer, met tegenzin, opgezocht in Hilversum. Ik denk dat hij eigenlijk dacht dat ik me aanstelde, of dat ik het door mijn 'leefwijze' verdiend had, het mezelf op de hals had gehaald om ziek te zijn.

Toch kon hij een enkele keer ineens iets zeggen wat mij verbaasde, en waaruit bleek dat hij eigenlijk wel van mening was dat ik wel wat 'kon' of 'waard was'. Zo zei hij een keer, *out of the blue*, ik was al een jaar of veertig: "Wat jij ook doet, het is altijd origineel..."

Ik was 16 jaar, denk ik. Ik sliep weer in de kamer aan de voorkant van het huis, op de begane grond, naast de voordeur. Net als toen ik twaalf en dertien was. Daar tussendoor sliep ik een paar jaar op de bovenkamer, met m'n twee broertjes. M'n jongste broer was twaalf jaar jonger dan ik. Ik tekende hem wel eens, als hij lag te slapen. Als ik aan z'n oor toe was, om te tekenen, krabde hij even aan z'n oor, in z'n slaap. Altijd.

Links: mijn jongste broer Wouter, slapend, door mij getekend, toen hij een jaar of drie oud was.

Twee karikaturen van leerlingen die voor de klas staan tijdens de geschiedenisles.

Maar nu was ik zestien. 't Was avond en donker buiten. Een uur of tien. Herfst, denk ik. M'n vader en m'n moeder en ik waren in de woonkamer. M'n vader en ik kregen ruzie. Ik weet niet waar over, want we hadden nooit ruzie. Maar die keer was hij driftig, en ik was driftig. Ik verliet de woonkamer, driftig, en smeet de deur van m'n slaapkamer achter me dicht. De deur had een ruitje bovenin, waar 's nachts het licht van de gang door scheen. De ruit knalde kapot. Ik opende de luiken voor het raam en klom haastig naar buiten. En vluchtte weg. Ik verwachtte waarschijnlijk op m'n lazer te krijgen voor de kapotte ruit. Ik bleef lang weg. Zeker een uur. In de bosachtige omgeving. Radeloos was ik. Ze moeten me maar komen zoeken, dacht ik, op z'n minst kunnen ze toch een beetje ongerust zijn. Ze kwamen me niet zoeken en er werd niet geroepen. Uiteindelijk ben ik maar weer naar binnen geklommen door m'n raam en in bed gaan liggen. Een tijdje later kwam m'n vader binnen, in m'n donkere kamer, met alleen 't ganglicht door de opening boven in de deur, waar het glas had gezeten. Ik denk dat ze 't glas inmiddels hadden opgeruimd. Hij kwam even op de stoel naast m'n bed zitten. En hij zei dat het hem speet. Ik hield me min of meer slapende, afgewend. Ik zei niets. Ik was uitgeput, dat weet ik nog wel. Ik was daar wel blij mee, dat hij even bij me kwam.

M'n vader had een onwrikbare verering voor iedereen die gestudeerd had. Toen ik hem eens vertelde dat onze overbuurman, een landbouwkundige, die trachtte mijn muziek op de piano te spelen, dat niet zo best deed, wierp hij tegen, ongelovig, maar vooral boos: "Die man is professor!"

Ook had hij een nederig ontzag voor z'n oudere broer, een op tamelijk jonge leeftijd gepensioneerde arts, die op de middelbare school (in Batavia) in alles beter was geweest dan mijn vader - zei mijn vader. Mijn vader voelde zich minderwaardig tegenover hem, terwijl mijn vader honderd keer zo origineel was (vond ik), veel meer van z'n leven wist te maken en telkens opnieuw verantwoordelijkheden op zich nam. Zo was hij om de paar jaar wel een paar maanden in een 'derde wereld land' bezig een nieuw landbouwkundig project uit de gronde te stampen. Van jongs af aan had ik een hekel aan die oom. Ik herinner me zijn schamper gelach toen mijn neefje en ik, beiden tien jaar, op het strand van Scheveningen een bal naar elkaar toe gooiden en die virtuoos wisten te stoppen, zoals alleen de grote keepers dat konden.

Mijn vader beminde daarentegen zijn stiefbroer. Inderdaad een leuke, vrolijke man. Helaas ging zijn liefde voor die broer zo ver dat hij al jaren vóór zijn dood ons ouderlijk huis 'beloofde' aan de zoon van die stiefbroer, zonder daar één van z'n vijf kinderen (toch ook geen baby's meer) in te kennen. Nu is mijn vader al een jaar of tien dood en woont de stiefneef al een jaar of tien in 'ons' ouderlijk huis.

Van rechts naar links: mijn moeder, Mary en Elsie, op Wageningen-Hoog. Rond 1973.

Mijn moeder liet alles begaan. Zij kwam niet snel of niet met haar eigen mening of gevoel, over wat dan ook. Veel, veel later ben ik gaan begrijpen hoe belangrijk voor ieder kind het gevoel van de moeder is, elk gevoel. Zij moet haar gevoelens tonen. Het gevoel van de moeder is even belangrijk voor de groei van een kind als calcium of vitamines, of nog veel belangrijker. Niet dat mijn moeder niet zorgzaam was, integendeel. Ze sloofde, in een ijzeren discipline, ze cijferde zichzelf weg (ik zie haar nog achter het wasbord staan, kleren en lakens wassend van zeven personen met haar arme rode handen, een prehistorisch tafereel, we hadden nog geen wasmachine) en ze besteedde veel tijd aan de dagelijkse warme maaltijd voor zeven personen en de zondagse 'Indische' rijsttafel.

Op indirecte manieren kon ik merken dat mijn moeder erg goed wist hoe ik in elkaar stak en dat zij dol op mij was. Ik zag vaak op tegen proefwerken op de H.B.S., domweg omdat ik ze dikwijls niet had kunnen voorbereiden vanwege al m'n wiskunde huiswerk. Bij het vooruitzicht van een proefwerk werd ik soms letterlijk ziek. Dan bleef ik thuis en de volgende dag schreef m'n moeder een briefje voor de rector dat ik ziek was geweest. Ze twijfelde nooit aan de ernst van mijn ontreddering en vond 't niet nodig daarover te discussiëren. Als ik zei dat ik ziek was, was ik ziek.

Gedurende een aantal jaren studeerde ik viool. Tamelijk fanatiek, want ik vond 't wel leuk. Als er bezoek kwam dat ik vervelend vond, snelde ik naar m'n kamer en ging studeren. Vioolstudie door een beginneling is verschrikkelijk om aan te moeten horen. Daar maakte ik dus gebruik van. Indien nodig ragde ik uren door op dat ding om de ongewenste gasten weg te pesten. Tevens verschafte mijn ijver mij het excuus niet te hoeven voldoen aan de gebruikelijke plichtplegingen van handjes geven en tantes kussen.

In het weekend werd er ge-*mahyong*d. Het uit China afkomstige spel met rechthoekige steentjes waarop cijfers en tekens, draken en windrichtingen staan. Dat speel je met z'n vieren. Ik had vier of vijf van die spellen gemaakt, met de figuurzaag, verf en vernis, voor allerlei takken van de familie. Het Mahyong spel bracht ons wat dichter bij elkaar. Dat was goed. Wat dat ook deed waren de feestelijke radio uitzendingen van de verschillende omroepen, ieder met z'n eigen avond natuurlijk. Met spelletjes, grappen, liedjes en conferences. In de studio's in Hilversum zat dan publiek. Welke herinner ik me? *Negen heit de klok*, van de KRO, *Mastklimmen* (NCRV), *De Bonte Dinsdagavondtrein* (AVRO) en heette de avond van de VARA *Zakken Halen*? In elk geval kwam die tekst voor in het slotlied. Het heeft betrekking op het laten zakken en weer ophalen van het voordoek bij het toneel, bij het in ontvangst nemen van het applaus. Met Conny Stuart als de grote ster: "Ferelderelderelder, kom toch bij ons in de kelder, je voelt je een heel ander mens, in de kring van de bohemiens..." En Wim Sonneveld als Willem Parel: "As soon en kleinsoon van een orgeldraaier..." Daarmee stal hij onze harten. En het spelletje 'Het hangt aan de muur en het tikt', met de zachte diepe mannenstem die het publiek verklapte wat het te raden woord was. En de kapper die commentaar gaf op recente politieke gebeurtenissen ("Knip knip, zei de schaar, knip knip knip, in een wip. Laat de kapper u coifferen en de politieke heren even ongezouten scheren, knippe knip")'. Het gaf ons gezinnetje iets gezamenlijks.

M'n ouders moeten veel geduld met me gehad hebben. Ik was

Moeder en zoon, 1955 of '56.

een zeer gesloten en dus lastige puber. Ik kon niet bedenken waarom het leven leuk zou zijn om te leven. Ik had een hekel aan school, ik had een hekel aan mezelf, ik had geen contacten met leeftijdgenoten en thuis had ik geen contact met m'n vader en slechts moeizaam met m'n moeder, die samen een ondoordringbare vesting vormden, net over de grens van een ander land. Gesprekken met m'n moeder vonden plaats tijdens de afwas. Zij waste af, ik droogde vaak af. Dat was voor mij een kans om even met haar alleen te zijn. Dan praatten wij een beetje, tijdens de afwas. Verder de hele dag niet. Voor haar was dat ook veilig. Terwijl zij afwaste en ik droogde en wij een beetje praatten, zag ik haar rug. En zij hoefde mijn gezicht niet te zien.

Haar gevoelens bewaarde zij voor mijn vader. Neem ik aan.

Ik herinner me dat ik als kind zo nu en dan op de vingers getikt werd door tantes, en later ook door m'n oudste zus, met opmerkingen als: denk er om, je hebt een fantastische moeder, een betere kun je je niet wensen. Dat waren merkwaardige kreten, want: in de eerste plaats had ik nooit ontkend dat ik een fantastische moeder had - ik was juist voor haar geen lastig jongetje en ik had zeer goed door dat zij zich uitsloofde. Van zo'n berispend bedoelde opmerking kon ik dus nooit de herkomst in mijn gedrag achterhalen en natuurlijk kwetste zoiets mijn onschuldige ziel. Waar kwam de behoefte van die tantes vandaan om *mij* in te peperen dat mijn moeder een soort heilige was?

Eén keer, herinner ik me... Ik was al lang uit huis. Ik was bij m'n ouders op bezoek. Ik had m'n vader wat geld gevraagd voor de trein. Hij wilde het niet geven en maakte een scène over mijn eeuwige onbekwaamheid om met geld te om te gaan. Ik liep kwaad het huis uit, in de richting van de bebouwde kom. M'n moeder kwam mij na gefietst. Een gezicht vol tranen. Onderaan de Hartenseweg haalde zij mij in. Een gezicht vol tranen. Ze gaf mij *f*25.-. Ik ben haar nooit zo dankbaar geweest als toen - voor die tranen.

Een tijdje later vertelde mijn vader mij trots dat hij de helft van zijn inkomen weggaf aan goede doelen.

Sedert de dood van m'n pa staat mijn moeder zichzelf toe een mening te hebben over dingen en die ook zo nu en dan te uiten. Ze 'is' er gewoon veel meer, en dat is prachtig. De dingen waarmee ik bezig ben of die mij bezig houden, zijn tot op zekere hoogte - of diepte - bespreekbaar. En mijn recente hernieuwde passie voor de muziek doet haar deugd. Zij stimuleert mij in mijn onvoorspelbaar wisselende activiteiten met een diep vertrouwen, dat blijkbaar, ondanks de keuzes in mijn leven die zij niet heeft kunnen begrijpen, niet geschonden is. En soms mag ik haar even echt *huggen*. Dat is de grootste winst.

Ik had een oom, een broer van m'n moeder, die weduwnaar was. Op z'n oude dag kreeg hij nog een vriendin, van z'n eigen leeftijd, die hem de laatste jaren van z'n leven zeer dierbaar en tot grote steun was. Toen deze oom stierf, een paar jaar geleden, vond zijn naaste familie (drie dochters en een zoon) het niet goed dat die vriendin bij de begrafenis aanwezig zou zijn. Mijn moeder was daar zeer ontdaan over. De vriendin kwam toch. Ze moest zich min of meer schuil houden en via een achteraf paadje de begrafenis volgen. Dat deed mijn moeder veel verdriet. Hoe zij daarover vertelde, haar verontwaardiging over deze liefdeloze en begriploze houding van de naaste familie van de oom - daarmee verbaasde en ontroerde mijn moeder mij. Ik was trots op haar.

 # 1 In het hoofdstuk Niemandsland, in *BOEK II*, vertel ik hoe mijn vader precies diezelfde episode, hoe hij aankwam bij het kamp, in de laadbak van die vrachtauto, beschrijft in de door hem op late leeftijd opgeschreven en door mij enkele jaren geleden uitgetypte verhalen. Hoe hij ons zag staan, de kinderen. Zijn vreemde interpretatie van dat moment…
Over de jappenkampen heb ik pas rond 2010 veel gelezen. Dagboeken van vrouwen en (toen) tienermeisjes vooral. Blijkbaar had ik daar rond mijn zeventigste jaar pas de ruimte voor. Over deze aangrijpende verhalen doe ik in mijn *BOEK II* natuurlijk uitgebreid verslag.

Ineke en Lex in Buitenzorg, 1939.

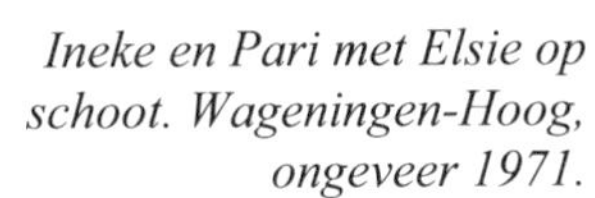

Ineke en Pari met Elsie op schoot. Wageningen-Hoog, ongeveer 1971.

DE KONING DIE NIET DOOD KON

Vierde acte - scène 4 (fragment)

De volgende morgen. De troonzaal.

(.....)

Siem: Ze zal zich toch niet verslapen hebben?

Meid: Ze was heel vroeg wakker. Ik heb haar geholpen met haar nieuwe japon. Ze ziet er mooi uit. Een echte prinses. Ze komt zo.

Nu gaat de deur links midden open en Ada verschijnt. Ze is niet gekleed in het door de meid beschreven gewaad, maar in een spijkerbroek en een eenvoudige blouse. Haar haar zit nogal slordig. Ze heeft haar make-up verwijderd, maar er zitten nog donkere kringen om haar ogen. Het is te zien dat ze gehuild heeft.

Ada *(loopt iets de troonzaal in en zegt tegen Siem)*: Ik zag je aankomen op je fiets.

Siem *(staat op en loopt naar haar toe)*: Ja, ik vond 't te koud om met de koets te komen...

Ada: Je leek net een beer uit 't circus, met je dikke jas en je muts. Of je een kunstje deed, in de sneeuw, op je fiets.

Siem *(na een kleine stilte)*: Je hebt gehuild...

Ada: Ja. Ik heb op je gewacht.

Siem: Je hebt je jurk weer uitgetrokken...

Ada: Ja...

Siem: Vond je 'm niet mooi?

Ada: Veel te mooi!

Ze staat nu dicht tegen Siem aan. Ze zegt zacht maar gepassioneerd:

Ik ben geen koningin! Ik kan 't niet. Ik durf 't niet. Hou me vast! *(kleine stilte)* Ik schaam me. *(kleine stilte)*

Meid: Wil je wat eten?

Ada *(zacht, nog tegen Siem aangedrukt)*: Nee.

Siem: Eet maar wat. Ik heb ook nog niet ontbeten.

Ada laat zich nu door Siem naar de tafel brengen. Klaas is opgestaan en biedt Ada zijn stoel aan. Siem gaat weer op z'n eigen stoel zitten.

Ada *(na een stilte)*: 't Spijt me, Hubertus... Ik schaam me...

Koning: Dat hoeft niet.

De hofnar, die stil op z'n hobbelpaardpaard heeft zitten toekijken, begint nu weer te schommelen en zingt:

Nar: *Hoog op een tak zingt een merel een lied*
hij zingt: ik ben merel, ben merel, meer merel ik niet
ik hoef niks te worden, ik ben die ik ben
een merel die merelt op een tak in een den
ik hoef niets te weten en niet te studeren
geen koning te zijn, ik hoef niet te regeren
ik zing van de regen en ik zing van de wind
van de avond die valt en de dag die begint
ik zing over blaad'ren en bloemen die geuren
over donkere wouden en heggen die kleuren
over al wat mij vrijheid en schuilplaats biedt
gaat mijn liedje van leven, mijn levenslied
mijn klanken verwoorden dat wat ik bedoel:
ik ben die ik ben en ik voel wat ik voel
meer merel dan ik kan een merel niet zijn
ik heb alles en niets als dit lied, dit refrein:
ik ben merel, ben merel, meer merel ik niet...

Ada (*die heeft geprobeerd iets te eten en een slok thee te drinken, bijna huilend)*: Ik kan 't niet, Hubertus, ik kan 't niet...! Ik weet niet eens wat 't is... wat moet ik doen? Hoe moet ik me gedragen? Wat verwachten de mensen van me? Moet ik een rol spelen? De rol van koningin? Wat is een koningin? Iemand die anders praat, anders loopt, anders denkt? Omdat iemand gezegd heeft dat ze plotseling koningin is? Met een kroon op d'r hoofd? Wat is dat dan? Je verandert toch niet zomaar door een witte jurk aan te trekken en een kroon op je hoofd te krijgen... in een koningin? Moet je dan ineens ophouden jezelf te zijn? Omdat de mensen een koningin willen? Waarom? Waarom willen ze dat? Wàt willen ze? En moet ik dat dan zijn? Dat kán ik toch niet? Ik kan toch niet ineens iemand anders zijn? Ik ben gewoon die ik ben... ik ben niks bijzonders, ik ben vaak hartstikke stom... en onhandig, en onaardig en eigenwijs...! Ik ben niet leuk, en niet knap, en niet volmaakt, en niet lief! Ik ben niks van wat de mensen willen van een koningin!

Een stilte. Dan zegt ze, bijna smekend, waarschijnlijk vooral bedoeld voor de koning:

Help me dan!

(.....)

Deel IV - "Indien muziek der liefde voedsel is..."

Hoofdstuk 9 - Ziek

Ik deed auditie bij de Stichting Schoolmuziek. Dat leek me nou een uitstekende kans om een begin te maken met een zangcarrière, ervaring op te doen en m'n ervaring als acteur te gebruiken. Samen met Steven zou ik programma's maken en ten gehore brengen op een speelse manier, met muziek en een praatje.

Ik zong al heel aardig. De auditie vond plaats in een zaal in het conservatorium in Den Haag (nog in dat mooie oude gebouw). Drie heren zaten achter een tafel. Ik zong heerlijk. M'n stem zat die dag erg makkelijk en de akoestiek in het zaaltje werkte mee. Toen kwam het punt aan de orde: wat voor soort programma denkt u te gaan maken? Wel, ik legde uit hoe ik dat voor me zag: een lied van Schubert, een lied van Fauré, iets uit een musical, Kurt Weil wellicht, een praatje tussendoor. En eventueel ook wat liedjes van mezelf, want ik schrijf zelf ook muziek... FOUT!! De heren achter de tafel werden rood, en toen paars, en toen groen, en toen wit, en toen weer rood in hun gezicht. Ik had 't verbruid. Wie verbeeldde ik me wel dat ik was? Het is al verdacht dat een acteur denkt dat hij (zonder conservatorium!) klassiek zanger kan worden, het is onbestáánbaar dat een acteur, of zelfs een gewoon mens, zonder conservatorium en specifieke compositieles, muziek zou kunnen componeren.

Een week later deed ik auditie voor de NOS, om te mogen 'remplaceren' bij het Groot Omroepkoor en de diverse afsplitsingen daarvan. M'n stem zat veel minder lekker dan de week daarvoor en de studioruimte was ook niet zo prettig. En ik maakte nog ergens een fout, toen ik overmoedig dacht die aria van Händel wel uit 't hoofd te kunnen zingen. Wel was ik zo eigenwijs, toen ik vier stukken had gezongen en weg mocht gaan, om te zeggen: Laat me *Der Stürmische Morgen* (van Schubert, uit de *Winterreise*) ook nog maar even zingen. Dat mocht. Ik werd aangenomen en kreeg direct veel werk. Een half jaar later kwam ik in vaste dienst.

Ik zong ook nog voor om lid te worden van een muzikantenvereniging die min of meer chique was. Ik ben de naam vergeten.

Zonder auditie kwam je daar niet bij. Ook daar werd ik toegelaten. Niet dat je daar iets aan had, je moest alleen maar contributie betalen en dan kreeg je zo nu en dan een blaadje toegestuurd. Bij die auditie zong ik als laatste een lied van Kurt Weil. Na de laatste tonen van de pianobegeleiding begon één van de vijf personen achter de tafel keihard te applaudisseren. De andere vier keken verschrikt en boos naar die ene man, maar hij klapte lustig door. Jan Waayer, de tenor. Korte tijd later, in het Groot Omroepkoor, was hij mijn collega.

Wij verhuisden naar Hilversum. Onze dochter ging naar de 'grote school'. Zes, was ze dus. Alles leek te gaan zoals een mens graag wil. Iedereen gezond, pa een baan, een aardig huisje. Ik regisseerde ook nog, op een middelbare school. Een maf cabaret programma dat we samen hadden gemaakt voor een 'Interscholaire', en *De Kale Zangeres* van Ionesco. In Ede had ik dat stuk ook al geregisseerd op een school, in een tamelijk vreemde versie, namelijk door het echtpaar Martin en het echtpaar Smith door respectievelijk vier en zes leerlingen te laten spelen, allemaal tegelijk in de scène. De absurditeit van het stuk wordt daardoor nog veel sterker en er kunnen zes leerlingen meer meespelen... Soms hoorde je de beroemde sopraan Joan Sutherland kwinkeleren.

Ik zong in een kerk in Renkum. De Christuspartij in de *Markus Passion* van Kaiser. Eén van de meisjes in het orkestje, die blokfluit speelde, werd later een beroemde zangeres. Jard van Nes.

Een paar keer zong ik mee in 't koor van Maarten Kooy in Soest. We hadden een uitvoering van de *Johannes Passion*. Ik zou ook een paar bassolo's zingen, Peter Kooy de andere. Peter werd ziek. Zo zong ik in de Domkerk in Utrecht plotseling alle baspartijen, zowel de solo's als in 't koor. Achteraf ben ik daar nog best trots op.

Ik was bezig ontzettend moe te worden. Mary en ik hadden maandenlang nachtelijke gesprekken, waarvan ik me niet meer kan voorstellen waarover die gingen. Ik weet ook dat er een moment was, ik was zes en dertig, dat ik plotseling niet meer goed kon slapen. Tot dan toe sliep ik altijd direct in zodra ik m'n hoofd op 't kussen legde. Ineens was dat voorbij. Op advies van de huisarts gingen Mary en ik ook nog op bezoek bij een erg dikke meneer die ons moest helpen ons huwelijk te lijmen. Hij woonde in een villa aan de 's Gravelandse weg, maar dan buiten de bebouwde kom, zo'n beetje in het bos. Hij zat achter een bureau en gaf ons twintig minuten de gelegenheid zijn gezicht niet te zien. Kortom: een arrogante, contactgestoorde, ongelikte beer. Hij noemde zich psychiater. In elk geval waren Mary en ik het er over eens dat wij hem niet terug hoefden te zien.

Ik scheurde een spier in m'n kuit. M'n been was paars van boven m'n knie tot aan m'n tenen. Ik liet m'n dochter een gekleurde tekening maken van m'n been om aan de huisarts te laten zien, want hij wilde niet langskomen. Ik moest drie maanden met dat been omhoog liggen/zitten. In die tijd heb ik een heleboel dikke Nederlandse romans gelezen, waar ik anders nooit toe gekomen zou zijn. Onder andere *Het Motet voor de Kardinaal* van Theun de Vries.

Na een jaar in dat nieuwe huis in Hilversum ben ik weggegaan. Ik had 't gevoel dat ik m'n leven moest redden, dat, wanneer ik zou blijven, er erg vervelende dingen zouden gebeuren. Ik had een paar kleren en één boek, ik geloof van Anton Koolhaas. Ik kwam terecht op een kamer in een huis met allemaal kamerbewoners, aan de 's Gravelandse weg.

Een paar maanden later was er een soort optocht door de stad, ook vlak langs het huis waarin ik een kamer bewoonde. Ook de

ponyclub was in de optocht opgenomen, met een hele stoet pony's natuurlijk, en kinderen. Elsie, m'n dochter, had net haar eerste lessen gehad. Ze zat op zo'n kleine Shetlander, Elsie, zeven jaar, klein, hobbel hobbel. Met haar verlegen gezicht. Ze moesten allemaal verkleed. Elsie had een soort muts op met grote konijnenoren die recht omhoog stonden. Daar zou ik ook verlegen van worden. Ik maakte een foto van haar. Ze heeft me niet gezien. Het is een ontroerende foto, waarop, wanneer ik er nu naar kijk, de eenzaamheid en het verdriet van de vader, achter de camera, even duidelijk te zien zijn als de verlegenheid van de dochter. Ondanks mijn vertrek uit het huis en het gezin gingen Mary en ik een maand of drie op stijldansen. Dat konden we samen heel aardig, zo bleek. Als het pauze was en iedereen aan de kant ging om iets te drinken, leefden wij ons even uit, in een virtuoze *quickstep*.

Inmiddels had ik een jaar of drie voor de NOS gewerkt. Ik moest veel muziek instuderen in een korte tijd. Dat ging best goed. De repetitoren hadden geduld met me. Ik was ijverig, dat scheelde. Anton Krelage, Karel Laoût, Frans Müller. En met groot koor Meindert Boekel. Na een jaar was ik aardig thuis in de materie. Ik herinner me een opname met het kamerkoor van een komische madrigalencyclus, onder leiding van een Duitse dirigent. Daarin hadden we allemaal zo nu en dan een solootje. Ik ook dus. Het is misschien wel de enige (professionele) opname die nog bestaat, waarin mijn zangstem even duidelijk te horen is.

Lex Schoorel als solist bij het Radio Kamerkoor.

Het kamerkoor zong ook een compositie van mij, dankzij Frans Müller. De KRO zond het uit. De klacht bij Julia's (vermeende) lijk, uit *Romeo en Julia*. Ook speelden zes musici van de NOS orkesten op twee avonden een aantal fragmenten van mijn *Romeo en Julia* opera, met een paar zangers van het koor, onder wie ik zelf, in Theater Achterom, waar ik later ook veel regisseerde. Rina Croesen was de sopraan. Zij woont nu in Frankrijk. Ze is boerin geworden. Nog jaren later vroeg de concertmeester van het Radio Kamerorkest, Jan Brejaart, zo nu en dan, als ik hem tegenkwam in een studio: wanneer schrijf je weer es iets? Frans Müller dirigeerde. Hij is allang dood, ook Krelage, ook Boekel.

Uitvoering van het Requiem van Verdi in het Concertgebouw, o.l.v. Riccardo Muti. 31-10-'76. Op de foto een deel van het Groot Omroepkoor. Iets rechts van het midden Lex Schoorel, toen nog met bril. Ik voelde mij daar op dat moment bijzonder op mijn plek.

Het leukst vond ik het werken met orkest. De grote werken dus. De *Missa Solemnis* van Beethoven, het *Requiem* van Verdi, de *Mis in C* van Bruckner (met blazers), het *Requiem* van Fauré, van Mozart. Al maar meer muziek, met vaak fantastische dirigenten: Rafaël Kubelik, Riccardo Muti, Bernstein, Montgomery, Hans Vonk, Jean Fournet. *# 1*

De arts van de NOS zei: blijf jij maar es héél lang thuis, zonder dat je iets moet van jezelf. Dat heb ik gedaan. 't Werden vier jaar.

Na een paar maanden ontstond er een vreemde situatie. Als werknemer van de NOS zat ik ziek thuis, maar ik werd door Bram van Erkel gevraagd om een rol te spelen in een jeugdserie die zou worden opgenomen op het Antilliaanse eiland Bonaire: *Duel in de Diepte*. Natuurlijk wilde ik dat wel. Ik moest daarvoor toestemming hebben van de NOS. Jan Vroons, chef koorbeheer, *gaf* die toestemming, in overleg met de arts. Het leek hen wel goed voor mij, zo'n uitstapje. Ik ben hen nog steeds dankbaar voor hun begrip en welwillendheid.

In 't voorjaar van '78 zat ik dus drie maanden op Bonaire. Toen ik er een week was voelde ik me weer heel aardig en begonnen m'n draaidagen. Ik was ook veel vrij, meer dan de andere hoofdrollen: Ronald Carilho, Peter Faber en Lydia Sluyter. 't Werd een fantastische tijd. Er werd ontzettend hard gewerkt en 't was een spannend eiland, met grote ruige, onbewoonde stukken, rotsen, cactussen en andere stekelige planten.

We logeerden in een aardig hotel, gerund door een Nederlander. Voor sommige mensen was een huisje gehuurd, pal aan zee natuurlijk, zoals voor Bram en z'n gezin en voor de scriptgirl en haar jonge zoontje. De twee kinderen van Bram gingen drie maanden op Bonaire naar school. Met Nel, de verzorgster van 't kind van de scriptgirl, toerde ik over 't eiland, als zij zich kon vrijmaken en als ik niet hoefde te filmen, tot aan de meest afgelegen, woeste en soms een beetje griezelige plekken. Op allerlei plaatsen kon je de zee in, behalve aan de noordkant, waar de golven tegen de rotsen knallen. De zee rond Bonaire is prachtig. Je hoeft maar in 't water te gaan liggen met je snorkeltje en er verschijnt een vreemde wereld van koraal en gekleurde vissen, en soms een zeeschildpad. In de loop van de maanden werd mijn huidskleur donkerbruin.

We filmden op indrukwekkende locaties. Het script (van Anton Quintana) was van 't begin tot 't eind spannend. Ik speelde een nogal sullige bioloog, die natuurlijk verzeild raakt in enge avonturen en door echte boeven gevangen genomen wordt. In één aflevering werd ik, geboeid met touwen, als een worstje op de lopende band van de zoutmijnen gelegd, om van grote hoogte in zee gedumpt te worden. Die band werd net op tijd stopgezet door de duikinstructeur Ronald Carilho en door Peter Faber.

Lex Schoorel en Peter Faber in Duel in de Diepte, 1978

Manjula en Nel op één van de strandjes van Bonaire – voorjaar 2002.

Peter Faber speelde de rol van El Loco, een soort zonderling die in de loop van de dertien afleveringen onthult waarom de boeven achter het Nederlandse zangeresje aan zitten, en die zijn bemoeienissen bijna met de dood moet bekopen in een lang onderwatergevecht met weer een andere boef, die in de laatste twee afleveringen opduikt, gespeeld door Rutger Hauer. Op mijn advies was Rutger op 't laatste nippertje naar Bonaire gehaald, toen een andere acteur die rol niet aan bleek te kunnen. Ook deze serie zou weer es uitgezonden moeten worden. Hij is erg goed gemaakt, spannend, en 't landschap van Bonaire maakt het kijkgenot extra aantrekkelijk. En het onderwatergevecht tussen Peter en Rutger is van ongeëvenaard niveau.

Na de zomervakantie ben ik een halve dag terug geweest voor een repetitie bij het koor. 't Was direct weer mis. Toen duurde 't nog jaren voor ik me weer min of meer een gezond mens voelde.

Onlangs was ik, na vier en twintig jaar, weer enkele weken op Bonaire, samen met Manjula, op uitnodiging van Nel. Zij woont al negen jaar op het eiland en ze heeft er nu haar eigen huis. Ze woont daar omdat haar gezondheid daar veel beter is. Het was wel vreemd weer op Bonaire te zijn. Er is wel wat veranderd maar toch ook weer niet. Er staan meer huizen, er staan wat meer hotels, er is wat meer comfort, er zijn meer restaurantjes waar je goed kunt eten. Maar de ruige gedeeltes van het eiland zijn hetzelfde gebleven, het *Washington Parc*, de zoutpannen, *Lac*, de strandjes, het *Goto* meer, de flamingo's - ze zijn er allemaal nog. De vissen die je snorkelend kunt bewonderen zijn nog altijd even onwaarschijnlijk mooi en talrijk (hoewel een storm enkele jaren geleden grote delen van het koraal heeft weggeslagen), de middaghitte is nog altijd even onbarmhartig (hoe konden wij destijds in de middag filmen?) en de noordoosten passaatwind nog altijd even prettig. Het vroeger sjofele restaurant *Zeezicht* bestaat nog steeds, maar in grotere en modernere vorm, bij *City Café* kun je 's morgens rustig zitten en koffie drinken, met uitzicht op de haven en de onwaarschijnlijke kleuren blauw van het water, het historische visafslag gebouwtje biedt nu schaduw voor de fruitverkopers uit Venezuela en de slordige kade van destijds is een heuse miniboulevard geworden, met, gelukkig, gedeeltelijk één-richting verkeer. Helaas wordt er 's avonds op veel uitgaansplaatsen harde, zo niet loeiharde popmuziek gedraaid, een nieuwe liefde van de Antillianen waar ze blijkbaar een deel van hun waardigheid uit putten. Maar wij zaten iedere avond, zodra het donker was, op de meest winderige plek (voor koelte en tegen de muggen) in de door cactussen omgeven tuin van zorgzame Nel te genieten van de sterren en een glas rode wijn, filosoferend over het trage tempo van het Bonairiaanse gebeuren, over de moeilijk te benoemen zin van het leven, over het genot van 'niets te hoeven' en over de betrekkelijkheid van de stress veroorzakende inspanningen die wij ons in het verre Nederland nog altijd getroosten om... ja waarom eigenlijk?

Dievenbal van Jean Anouilh. Dief Joop te Nuyl, regisseur en dief Lex Schoorel en dief Hein Wanrooy. Foto: Sonja Geerlings.

Ik regisseerde in m'n Hilversumse jaren zo'n 15 toneelstukken, voornamelijk tijdens m'n ziekte. De NOS arts vond dat een uitstekende therapie. In de helft van die voorstellingen speelde ik ook mee, ook in stukken voor kinderen.

Romeo en Jeannette, toneelschool, 1959.

Else Valk als Jeannette, Lex Schoorel als Frédéric, Ad Hoeymans als Lucien.

Romeo en Jeannette Hilversum, 1980.

Lex Schoorel als Lucien, Robert Grijssen als Frédéric, Mieke Muller als Jeannette.

Foto: Sonja Geerlings.

Een paar keer speelde ik in een regie van Robert Grijsen. Zoals de koning in *Yvonne* van Gombrowitz. En de blinde verteller in *De Kat van de Duivel*. In mijn eigen regie speelde ik Lucien in *Romeo en Jeannette* van Anouilh. Robert speelde Frédéric, Mieke Muller Jeannette. Ik was ontzettend moe, toen ik Lucien speelde. Ik weet nog dat ik me zo ziek voelde, dat ik me bijna niet naar de laatste (zevende) voorstelling kon slepen. Ik dacht: ik probeer 't - iedere zin die er nog uit komt is meegenomen. En als ik er in blijf is het een mooie dood. Ik speelde de voorstelling uit...

Dievenbal van Anouilh was m'n laatste regie in Hilversum. Renée Weyand had het mooie en slimme decor gemaakt. Tijdens de openingsscène (het park) hing het tweede decor opgerold aan het plafond van het lage theatertje. Het changement voltrok zich dus in een paar seconden. De chique meubels had ik op een veiling gekocht. Gelukkig kon ik ze later doorverkopen aan de decorafdeling van de NOS. Hein Wanrooij, Joop te Nuyl en ik speelden de boeven. De scène met de sigaren was mijn favoriete, hoewel het hele stuk heerlijk is om te spelen, voor iedereen.

Hein speelde ook de Arlecchino in *De Warhoofdige Minnaar*. Een leuk stuk van Burkunk. Totaal absurd, echte commedia dell'arte. Weer een leuke rol van Joop (Pantalone) en een schitterende Dottore van Henk Meijers. Ook *Antigone* (Anouilh) was een prachtige voorstelling, met Mieke Muller, Robert, Oda van Waas, Eric van der Want (als Kreoon) en Enny Polak als de voedster. Vooral de openingsscène van de drie meiden was zeer ontroerend. Ook herinner ik me een stuk van Priestley: *Schateiland*. De voorstelling was helemaal in een kakikleur, zowel het decor als de kostuums. Een soort thriller. Ik geloof m'n eerste regie bij ARS. 't Was een lang stuk, waarvoor ik vijf weken de tijd had om 't te vertalen, te repeteren en aan te kleden, omdat er een ander stuk met een andere regisseur niet door ging. Met hooguit drie repetities in de week moet iedereen ontzettend hard aan z'n rol gewerkt hebben. 't Werd een mooie voorstelling.

Bij een andere groep regisseerde ik *Mama Kijk*, van Hugo Claus. Ze deden dat erg goed. Bij hen speelde ik een (quasi) Poolse pianist in een stuk over het Franse verzet in de oorlog: *Er komt een vriend vanavond*, zich afspelend in een inrichting voor geestelijk gehandicapten. Mooi stuk. De fotografe Sonja Geerlings (vroeger balletdanseres) maakte van veel van mijn voorstellingen prachtige foto's. Ik ben er van overtuigd dat de ongedwongen vriendschap van alle spelers uit die tijd mij erg heeft geholpen om me weer beter te gaan voelen.

Gelukkig had ik ook twee aardige huisartsen. De eerste (niet die van het paarse been) was ook ooracupuncturist. Dr. Heckman. Toen ik bij hem kwam had ik een torenhoge bloeddruk. Op advies van hem ben ik anders gaan eten. En vier jaar lang deed ik twee keer per week m'n best in de Hilversumse fitnessclub onder de Hilvertshof. Laatst kwam ik Marian, een van de begeleidsters, nog tegen bij een éénmalige vertoning van *Twee Druppels* (dankzij Piet Bijlholt). Ze werkt daar al lang niet meer, heeft een paar kinderen, maar ze is nog steeds dezelfde lieverd.

M'n tweede huisarts, nadat Dr. Heckman met pensioen ging, was een vrouw die op de middelbare school één klas lager zat dan ik. Anneke. Wij wisten nog van elkaar dat we graag tekenden. Eén keer per week hadden we een extra (vrijwillige) tekenles op school, in de middagpauze. Douwenga, de tekenleraar, had dat georganiseerd. Er kwamen dan een stuk of vijf enthousiastelingen, ook Anneke. Op een dag was ik bezig met een stilleven, in kleur. Ik verzon ergens een paarse schaduw. Douwenga keek even over m'n schouder en zei: Ik weet niet waar je dat vandaan haalt, 't is niet zoals het hoort, maar 't is ontzettend goed. Wat was ik daar blij mee. Iemand die zei dat ik iets goed deed.

Timothy, mijn zoon, ging naar het gymnasium. Hij kwam bijna iedere middag bij me kletsen, was altijd wel met iets bezig waarover hij me uitvoerig moest berichten. Tafeltennis, tai-chi, en later goochelen. Hij werd goochelaar. Hij kon dat erg goed, heeft er, na z'n schooltijd, jaren van geleefd. Maar ook over school moest hij zo nu en dan wel wat kwijt. Hij kon makkelijk leren, godzijdank voor hem. Soms sprong ik voor hem in de bres als ik vond dat hij oneerlijk werd beoordeeld door een leraar. Zoals de lerares Engels, die zijn keuze van *Love of Seven Dolls* van Paul Gallico, niet accepteerde voor zijn eindexamenlijst. Het zou geen literatuur zijn. Stel je voor... één van de mooiste boekjes ooit in de Engelse taal geschreven.

Eén van mijn lievelingsboeken is *Cider with Rosie* van Laurie Lee. Een ieder die het niet kent raad ik aan het te pakken te krijgen, zo mogelijk in 't Engels. Het is een ontzettend ontroerend boek, over de jeugd van de schrijver in de twintiger jaren. De laatste jaren van afzondering van een dorp, nog net voor de 'vooruitgang'. Zo liefdevol en poëtisch geschreven. Tegen 't eind komt er een hilarische scène in voor over het jaarlijkse schoolfeest, met daarin ook een optreden van de schrijver zelf, als jongetje, met de viool...

Ik geloof dat Timothy zelfs een boek van Osho op z'n eindexamenlijst zette. Osho, een Indiase mysticus, werd in die tijd Bhagwan genoemd. Timothy was al een aantal jaren sannyasin (ik geloof al vanaf z'n veertiende) en hij liep moedig in het rood op school, en met een mala om (een kralenketting met de foto van Osho in een *locket*). Het heeft mij jaren gekost alvorens ik het opbracht zijn nieuwe Indiase naam Punyam uit te spreken. Een aantal jaren later hadden mijn eigen ouders hetzelfde probleem met mij. Na de dood van m'n vader is m'n moeder mij Pari gaan noemen, en daar ben ik haar zeer dankbaar voor. Mijn zoon veranderde zijn naam later zelf opnieuw - hij heet pas een jaar of tien Timothy.

Half Amsterdam liep in 't rood, zo'n zeventien, achttien jaar geleden, zo leek 't wel. Bij speciale feestelijkheden stond er bij Zorba (de disco) soms een rij rode mensen te wachten langs de Oudezijds Voorburgwal tot ver om de hoek van de Damstraat. Bij het theater waren veel mensen sannyasin geworden - bijvoorbeeld het hele cabaret Don Quichocking en natuurlijk Ramses Shaffy. Maar ook de beroemde psychiater Jan Foudraine. En Albert Mol heeft jarenlang theaterlessen gegeven aan de Humaniversity, de grote therapeutische sannyasincommune in Egmond aan Zee.

Het meest spectaculaire tafereel was de kilometerslange rij rode dansende en muziek makende mensen in de hitte van Oregon, bij de *drive-by's*. Osho, die in die tijd niet sprak (ruim drie jaar lang niet), reed dan langs in een van z'n geruchtmakende Rolsen. De VPRO zond in '84 een lange documentaire uit over de 'sannyasbeweging', die nou eens een keer niet negatief was, maar simpelweg objectief. De titel van het laatst uitgegeven boek over en door Osho: *Autobiography of a Spiritually Incorrect Mystic.*

Op advies van Osho zelf zijn de rode kleren, zo'n 15 jaar geleden afgeschaft. Sannyasins werden over de hele wereld dermate getreiterd (soms gedood), dat het beter was om onzichtbaar te worden. De rode kleren hadden hun effect ook wel gehad, ook voor de dragers ervan. Osho is kort daarna door de Amerikaanse autoriteiten in de gevangenis gestopt, twee weken lang mishandeld, vergiftigd, weer vrijgelaten en een jaar of vijf later aan de vergiftiging overleden.

Osho gedurende zijn World Tour.

In mijn ziektejaren in Hilversum nam ik ook deel aan mijn eerste 'groep': een *Gestalt* weekend. Er bestaan allerlei soorten therapiegroepen die er vooral op gericht zijn om jezelf beter te leren begrijpen, te leren inzien waarom zich bepaalde problemen in je leven voordoen (en zich steeds weer voordoen), je te leren inzien dat je oude patronen kunt loslaten en dus opener en aardiger voor jezelf en je omgeving je leventje kunt voortzetten, zonder overbodige ballast. Als 't goed is vinden die groepen plaats in een liefdevolle en veilige ambiance.

Het hele jaar door worden er in Nederland honderden van die groepen gehouden en veel mensen hebben daar veel baat bij. Dat *Gestalt* weekend was zo'n groep. Voor mij een gloednieuwe en ingrijpende ervaring. Je deelt dingen met elkaar waar je in het gewone leven niet bij kunt komen en waarvoor je ook zo'n vertrouwenssituatie nodig hebt. En natuurlijk zijn er, als 't goed is, ervaren groepsleiders. Voor alle deelnemers (± tien) was het een zeer emotioneel weekend, maar voor iedereen zeer helend, denk ik. Ik weet nog dat ik tijdens die dagen urenlang keihard heb staan huilen om van alles wat er was aangeraakt en losgewoeld en duidelijker geworden. *Ook* om het gemis van een vader... Voor wie dat nooit heeft meegemaakt: dat huilen lucht enorm op! Later kwamen de meditaties voor de groepen in de plaats - het beste schoonmaakmiddel.

Achteraf realiseer ik me dat, bij alle groepen die ik heb gedaan (ook hele andere als deze *Gestalt* groep), de periode Indonesië nooit naar boven is gekomen. Blijkbaar heb ik die te grondig in m'n onderbewuste geduwd. Ik weet bijna niets meer van de tijd vóór de ontmoeting met m'n grootmoeder, bij haar boshuisje, toen ik al bijna negen jaar was...

In 1981 vroeg iemand van de NOS mij of ik er zo langzamerhand niet voor voelde uit de ziektewet te gaan. Het was niet de arts die mij dat vroeg. Ik vond zijn verzoek eigenlijk wel redelijk, na al die jaren. Ik was zeer intensief met theater bezig geweest en vond dat ik mezelf misschien wel weer als 'gezond' kon beschouwen. Ik stemde dus in met het verzoek van deze man en was mijn contract bij de NOS kwijt.

Iedere week leverde ik mijn SD briefje in en m'n inkomen was plotseling teruggebracht tot een derde. Ik liet mooie foto's maken om mezelf weer te verkopen bij potentiële werkgevers bij TV, film en theater en voor een castingbureau en tot m'n schrik zag ik dat ik er op die foto's nog altijd zeer moe en verkreukeld uitzag.

John van de Rest was zo aardig mij te vragen een rolletje te spelen in een tv-productie met veel mannen, allemaal apostelen, iets bijbels dus. Ik dacht: nou ja, zo'n klein rolletje moet ik wel aankunnen. Ik kwam op de lezing, in een modern gebouw ergens in Amsterdam. Voor het eerst na misschien wel tien jaar bevond ik me weer tussen collega-acteurs. *Veel* acteurs bovendien. Ik scheet bagger. Ik voelde me broos en ziek tot op het bot. Ik voelde me als een vogel die per ongeluk een kamer is binnengevlogen en niet meer weet hoe hij er uit moet komen. Ik voelde me op volstrekt vervreemd terrein. Ik voelde doodsangst.

Dezelfde avond heb ik John gebeld en verteld dat het niet ging. Dat ik blijkbaar toch nog ziek was. Dat ik last had van m'n hart. Of ik alsjeblieft van mijn deelname mocht afzien. Dat ik het gewoon niet kon. John begreep het heel goed en was vriendelijk. Hij zou iemand anders zoeken en wenste me sterkte.

Wat had ik mezelf op de hals gehaald door zo gemakkelijk, op verzoek van de eerste de beste meneer, m'n contract bij de NOS te laten vallen? Moest ik zo nodig weer bewijzen wat een flink, nuttig en braaf meneertje ik was, die vooral niet langer dan strikt nodig wilde profiteren van een voorziening voor zieke mensen? En waarom heb ik me toen niet gerealiseerd dat voor een weer-gezond-verklaring toch minstens de betrokkenheid van een arts een logische vereiste was?

Gelukkig kon ik in '82 bijna een heel jaar meedraaien met de opnames van *Armoede* en kon ik dat weer aan. En gelukkig heb ik de jaren daarna leuke dingen kunnen doen aan het theater, in Amsterdam. En kende m'n leven een aantal wendingen die ik nooit had willen missen. Wie weet ben ik wel sneller beter geworden door mezelf beter te verklaren toen ik dat nog lang niet was. Tenslotte had het diepe dal ook wel lang genoeg geduurd.

Riccardo Muti.

 # 1 Tot mijn grote vreugde bleek in 2013 dat er een opname bewaard is gebleven van de tv-uitzending uit 1978 van het Requiem van Verdi o.l.v. Riccardo Muti in het Concertgebouw.

DE KONING DIE NIET DOOD KON

Vierde bedrijf - scène 5a (fragment)

De morgen na de kroning.

De keuken in het kasteel.

(.....)

Uit de deur die naar buiten leidt komt Ada tevoorschijn, dik ingepakt en met sneeuw aan haar laarzen.

Ada: Hallo! Wat ben ik laat, hè? Ik kwam er bijna niet door, met de fiets. Hele stukken moest ik lopen...

Meid: Ben je niet met Siem?

Ada: Welnee, die is allang weer met z'n beesten bezig. Misschien komt ie straks nog. Ik heb sneeuw aan m'n laarzen. Zal ik ze uitdoen?

Meid: Doe maar. Hier heb je slofjes.

Ada doet haar laarzen uit en de slofjes aan die de meid haar gegeven heeft.

Ada: Wel lekker hoor, sneeuw. 't Is heel stil, buiten. De mensen hebben zeker geen zin om buiten te komen. En 't is juist zo mooi. Alles is ineens zoals 't hoort.

Klaas *(glimlacht)*: Hoe bedoel je dat?

Ada *(gaat daar niet direct op in)*: 't Is ook een versiering. Al die bomen - geen takje is er overgeslagen. Een soort superkunstwerk. Zullen we straks naar buiten gaan? In de koets, of met de slee? Misschien komt Siem wel met de slee. Met z'n vieren kun je daar wel in. Moeten er twee achteruit rijden. Durf je dat, Hilda, in de arreslee?

Meid:: Als ie niet te hard gaat...

Ada: Dat vragen we 'm toch...

Meid: Wil je wat warms?

Ada: Chocola, als je 't hebt.

Meid: Moet ik even maken. *(Ze staat op en gaat het maken.)* Heb je wel ontbeten?

Ada: Ja hoor. Ga je ook mee, pa?

Klaas: Natuurlijk.

Ada: Alle onzin is even gestopt. Geen enkel huis is mooier of minder mooi. Iedereen is even onbelangrijk, onder de

sneeuw. *(kleine stilte)* Slaapt Hubertus nog?
Meid: Ja.
Ada: Wat goed van 'm. En de hofnar?
Meid: Hij is even gaan kijken. Naar de koning. Of alles goed is.
Ada: Ja. *(Ze is stil. De meid is bijna klaar met de chocola voor Ada.)*
Meid: Jij ook Klaas, ik heb nu toch de melk warm...
Klaas: Ja lekker.

Hier verlaten we de keuken even om te kijken hoe het de hofnar vergaat in de slaapkamer van de koning.
Einde van scène IV - 5a.

Scène 6.
De slaapkamer van de koning.

De koning ligt op het bed. Er wordt geklopt.
Stem Hofnar: Majesteit... *(stilte)* Majesteit... een kopje thee.
De koning reageert niet. Langzaam gaat de deur open. De hofnar staat in de deuropening, wat onhandig met het kopje thee.
Nar: Majesteit...
Stilte. Hij komt een paar passen de kamer in, laat de deur open, er van uitgaand dat hij snel weer zal verdwijnen.
Het is al laat. Wij dachten... es kijken of 't wel goed gaat met uwe majesteit. U slaapt nooit zo lang.
Stilte. De hofnar begint een beetje ongerust te worden, maar hij wil dat zichzelf nog niet toegeven.
Ik zet de thee hier neer, dan kunt u het zelf pakken.
Hij zet de thee op een nachtkastje o.i.d.
Nog iets wat u wenst?
Stilte. Hij sluit de deur. Nu buigt de hofnar zich een beetje over de roerloze koning heen. Voorzichtig, respectvol en nog niet te dichtbij. Dan staat hij weer rechtop, naast het bed. Zegt zacht:
Wat bent u stil...
Heel voorzichtig legt de hofnar nu de buitenkant van z'n hand tegen de wang van de koning. Meteen trekt hij z'n hand weer terug. Hij zegt

zacht:

Koud... *(Hij doet een pas achteruit. Zegt zacht:)*
U bent dood...

Hij gaat zitten op een stoel. Kijkt naar de dode koning. Zegt zacht:

U wist het. Daarom wilde u niet met ons ontbijten, u wist het.
(kleine stilte)
Ik bracht u naar uw kamer en u zei: Wat ken ik je toch goed, nar! Ik vroeg: Hoezo, majesteit? U zei: Je loopt achter me, er is alleen het licht van een kaars, en ik hoor aan je voetstappen dat je verdrietig bent, nar. Ik zei: Ik ben me dat niet bewust, majesteit. U antwoordde: Nee, vreemd is dat. Soms komt dat pas later. Dat je je eigen gevoel bewust wordt. Dus je weet ook niet waaròm je verdrietig bent? Nee, majesteit... We liepen de gangen door, de trappen op. De geluiden in het paleis werden steeds zachter. Alleen het kraken van de houten treden onder onze voeten. Iedere trede heeft z'n eigen gekraak. En ja, van buiten zo nu en dan 't lachen van de naar huis vertrekkende vrienden van Ada, vrolijk, na het feest. Ik luisterde naar mijn voetstappen en u had gelijk. Ik hoorde het nu ook. Ze waren verdrietig. Het geluid van mijn voetstappen was verdrietig. Ja. Ik weet het nu. Alsof mijn benen me naar een zinloze plek brachten. We kwamen bij de deur van uw kamer. U draaide zich naar mij om en u keek mij aan. De kaars verlichtte onze gezichten. Een helder licht, zo van dichtbij. Ik ken uw gezicht zo goed. En dat was wat u zei. U zei: Ik ken je gezicht zo goed, nar. Ik antwoordde: Na zoveel jaren word je een beetje elkaar. Dat denk ik soms. Wanneer ik uwe majesteit zie kijken, soms, dan denk ik: daar sta ik, daar kijk ik. U glimlachte. U zei: je hoeft niet verdrietig te zijn. Ik zei: U ook niet, majesteit. Waarom zei ik dat? U lachte. Toen opende u de deur en u zei: Ik ben waar ik wezen moet. Ik zei: U heeft niets meer nodig. Hoe vaak heb ik u dat niet gevraagd: heeft u nog iets nodig, majesteit? En nu vroeg ik het niet - ik zei het: u heeft niets meer nodig. U lachte al weer en u zei: Zie je wel, je weet alles! Slaap maar lang, nar.

(een stilte) Ik wist het niet. Ik weet niet alles. Ik wist niet dat u weg zou gaan. Misschien maar goed ook. U wilde liever alleen zijn. U kon 't wel alleen af. *(Hij kijkt naar de koning.)* U hebt het goed gedaan.

Een stilte. Hij staat op en pakt het theekopje weer op.

Ik neem 't maar weer mee. Ik moet 't ze vertellen. Misschien is Ada er al. Wat zal ze schrikken. Of niet... Heeft u het haar verteld, gisteren? U had een geheim met haar, dat is zeker...

Een stilte. De nar huilt bijna onmerkbaar.

Wie moet ik nu nog laten lachen? *(een stilte)* Ik zal goed luisteren. Als ik de trap afga. Wat mijn voetstappen zeggen. Of ik kan horen of ik verdrietig ben. Majesteit...

Hij opent zacht de deur en verdwijnt met het kopje thee.

Einde IV - 6

Hoofdstuk 10 - Frankrijk en Australië

Uit een voorstadje van Avignon, waar wij vanaf de camping naar toe konden lopen, bracht een taxi ons naar een buitenwijk van Avignon, waar, in een grote tent het *Footsbarn Theatre* speelde. De titel van de voorstelling weet ik niet meer. Ik herinner me dat hij geïnspireerd was op een Grieks verhaal, dat er meerdere talen door elkaar gebruikt werden, en dat ik vooral de muziek zo goed vond. 't Was de vierde keer dat ik deze groep zag spelen. *Hamlet, Midzomernachtsdroom* en nog een stuk waarvan ik de titel niet meer weet.

Het leek me altijd fantastisch om bij zo'n groep te spelen. Rondtrekkend over de hele wereld, je eigen voorstellingen makend (vaak op basis van een Shakespeare stuk en vaak op basis van plaatselijke situaties), alles zelf makend, als een grote familie. Langzaamaan is die droom vervaagd. Ik word wat te oud voor woeste romantiek. 1995 Moet dat dus geweest zijn. We waren net terug van ons tweede lange verblijf in Australië. Al met al hadden we achttien maanden in Australië gewoond. Beide keren hadden we bij terugkomst in Nederland geen huis. Dit keer besloten we om maar snel door te gaan naar Frankrijk. We trokken rond met een vrij grote tent. Manjula was vaak moe. Als we op een nieuwe plek aankwamen bleven we tenminste twee of drie nachten staan - het opzetten van de tent was te omslachtig om een kort verblijf te rechtvaardigen.

Ergens in Frankrijk. Manjula uitgeteld, na een rit van een paar uur. Pari zet de tent op.

We kozen de kleine campings uit, bijvoorbeeld bij boeren.

Ik vond 't altijd prettig om rond te toeren door Frankrijk. Het idee om er ooit nog eens te gaan wonen trok me aan, dus hebben we in de loop der jaren heel wat ruïnes, boerderijen, landhuizen en dorpshuizen bekeken, op de meest uiteenlopende en pittoreske plekken. Een droom, want ik zou nooit het geld hebben om een huis in Frankrijk te kunnen kopen. Wat trekt me aan in Frankrijk? De ruimte, de heuvels, de uitzichten, de dorpen, de stilte, de taal, iets specifiek Frans...

Na Avignon trokken we, in twee etappes, naar de Pyreneeën. We wisten daar mensen te wonen met een boerderij en veel schapen en ook nog ruimte voor onze tent. Ik probeerde wat te helpen met 't bedrijf, maar Manjula voelde zich niet goed. Na twee weken zijn we verkast naar een leegstaand huis van weer andere kennissen, nog hoger in de bergen, in de buurt van Massat. We hoefden daar dus de tent niet uit te pakken. 't Huis was tegen een onwaarschijnlijk steile helling opgebouwd, aan 't eind van een klein kronkelweggetje en dan nog 500 meter langs een paadje. De auto moest je dus vóór die 500 meter laten staan. Als je weer naar beneden wilde, terug naar het dorp, moest je erg goed uitkijken met keren, anders lag je in het ravijn. We

gingen regelmatig naar St. Giron, een aardig stadje met een leuke zaterdagmarkt en zelfs naar een concert in een middeleeuws kerkje in een dorp vlakbij St. Giron. Op de steile hellingen waar we nu logeerden lagen veel ruïnes van huisjes, waar grote bomen in groeiden, waaruit je kon opmaken dat de streek vroeger dicht bevolkt is geweest, veel terrasjes waar de mensen wat verbouwden en één of twee dieren hielden. Alles overwoekerd en bebost nu. Spannend was het dagelijkse ballet van de mistflarden, tegen de heuvel aan de andere kant van de vallei...

Daarna hebben we nog een week een vakantiehuis gehuurd (een oud boerenhuis met dikke muren, gedeeltelijk verbouwd, konden we 't maar kopen...), via een boer, alweer op een erg mooie plek en niet zo eng steil. Na die week was 't toch wel duidelijk dat Manjula weer flink ziek was geworden. Een alleraardigste arts in Massat gaf haar maar een antibioticum... We waren inmiddels twee maanden in Frankrijk en zijn toen in drie dagen (voor ons doen heel snel) naar huis geracet. Nou ja, naar huis... we hadden geen huis. We vonden een zomerhuis in Voorthuizen, daar bleven we drie maanden, en toen 't huis in Baarn, waar we nu, in 2001, nog wonen.

Manjula werd al maar zieker. Geen arts die er raad mee wist. Elsie kwam op bezoek, in Voorthuizen. Begin November, We gingen met de auto naar Drie, dat is in het bos. Alweer een mooie herfst. We gingen wandelen. Dat ging goed. Toen ging Manjula op een bankje zitten. Ik maakte een paar foto's. Ik dacht: dit zijn de laatste foto's die ik van je maak. Zo slecht was ze.

't Was een vreeslijk zware periode. Ze zakte om de haverklap in elkaar en viel flauw en ik moest dus 24 uur per dag bij haar in de buurt blijven. Ze kreeg sterke medicijnen voor een ontregelde schild-klier - die zou ze de rest van haar leven moeten blijven slikken. Daar werd ze nog zieker van, dus stopte ze er mee na een maand. Weer een maand later was de schildklier weer normaal. Wat helemaal niet mogelijk had moeten zijn, volgens de bozige artsen. Maar alle andere verschijnselen werden erger. 't Duurde tot negen maanden na onze terugkomst uit Frankrijk, voordat de neuroloog in Baarn (bij het derde bezoek aan hem) haar conditie serieus nam. Toen lag ze één dag later in 't ziekenhuis en weer een week later was ze geopereerd. Dezelfde plek in haar hoofd.

In Noord-Holland was ook een toneelgezelschap dat in een tent speelde, voornamelijk voor kinderen. Ik ben de naam van de groep vergeten. Ik ging naar ze toe, vrij kort voordat ik weer naar Amster-dam verhuisde (1983), en heb een aantal voorstellingen met ze mee-gedraaid. Het opzetten van die tent nam een dag. Dus stond de tent altijd wat langere tijd op één plek. Ik denk niet dat ze in de winter speelden. Alkmaar was de standplaats. Ik herinner me nu ook de repetitieruimte daar. Ik had wel zin om bij ze te blijven spelen. Er hing een vriendelijke sfeer in de groep. 't Kwam er niet van. In Hilversum had ik geprobeerd een beetje accordeon te leren spelen. Dat ging niet al te best, maar toch kon ik wel een paar deuntjes produceren, zelfs met de bassen er bij. Bij één stuk zat ik voor de aanvang bij de ingang van de tent te spelen, als een lichtelijk debiele man (waarom debiel weet ik werkelijk niet meer), met de bedoeling de kinderen naar binnen te lokken. Of zoiets. Ik had ook nog een paar regels tekst, geloof ik. Tijdens één voorstelling, toen ik m'n accordeon weer moest omgorden, deed ik dat verkeerd om. Dus met de pianotoetsen links. Dat nam dus even tijd om te corrigeren. Frits Lambrechts lag in een deuk. 't Was de eerste keer dat wij samen in een stuk speelden.

De Driekante Droom van Cécile van der Poel, 1984. Nienke Sikkema, Frits Lambrechts, Lex Schoorel (Swami Antar Paripurn), Cécile van der Poel en Tatiana Radier.

Een jaar later heb ik hem gevraagd mee te spelen in een voorstelling in De Balie van *De Driekante Droom* van Cécile van der Poel. Ik regisseerde dat. Een soort diepzinnige poëtische tekst. Nienke Sikkema speelde ook mee, van het vroegere Proloog. En Tatiana Radier. Zij voegden alle drie de nodige humor toe aan het stuk. Ik herinner me Frits achter een grasmaaimachine. En zij samen in een scène in een kroeg. "Intelligent en gevoelig toneel", schreef een recensent boven z'n stukkie in de krant. Nou ja, wat wil je nog meer?

Het Noordhollandse gezelschap speelde ook een stuk van Guus Kuyer, voor volwassenen. Een leuk stuk. Er kwam een man in voor met twee hoofden. We zouden samen een stuk verzinnen voor 't nieuwe seizoen. Een stuk voor kinderen. 't Moest te maken hebben met televisie. Een wat mager uitgangspunt, vond ik. Ik begon thuis in Hilversum maar wat op papier te zetten. Een paar dagen later was er een half toneelstuk klaar. 't Was de eerste keer dat ik probeerde een toneeltekst te schrijven. Ik vond 't zelf best aardig en ging er mee terug naar de club. De dramaturg ter plekke (tevens schrijver) was er onduidelijk over. Maar 't werd niet geaccepteerd omdat 't niet door de groep *gezamenlijk* was gemaakt. *So what?* dacht ik. Ik weet niet of de groep later inderdaad iets *gezamenlijk* heeft gemaakt...

Later heb ik het stuk voltooid, met liedjes er bij, en 't is een enig stuk geworden. Nog nooit gespeeld dus. 't Heet *Het Land van Hun.* We zouden het spelen in Arnhem, als eerste voorstelling van onze nieuwe jeugdtheatergroep *Het Mysterietheater*. Ook dat is niet doorgegaan. Na een tiental (!) gesprekken met de afdeling Kunstzaken van de gemeente Arnhem, veel schone beloftes, een paar gesprekken met de schouwburg en de provincie, een plotseling toch negatief besluit over de subsidies en na een paar vreemde initiatieven van de kersverse zakelijk leider, heb ik de onderneming afgeblazen. Misschien maar goed ook. Een half jaar later lag Manjula in coma in het ziekenhuis.

In de twee Arnhemse jaren rond 1988 speelde ik nog één keer voor de TV, in een serietje van Teleac: *Effectief Omgaan met Conflicten.* Ik speelde vijf verschillende rolletjes en ik deed dat uitstekend, vond ik zelf. Met pruiken, baarden, brillen en stropdassen zette ik een aantal nare kantoormannetjes neer, leuk om te doen. Bram had me geadviseerd bij een jonge regisseuse en hij had de supervisie.

Paul in *Armoede* was een feest om te doen. De hele serie had 'iets om het lijf', in tegenstelling tot veel andere series die gemaakt worden, soms best goed gemaakt, waarin soms zelfs best goed wordt geacteerd, maar die inhoudelijk zo vreselijk overbodig kunnen zijn, waarbij tussen de mensen zo weinig 'aan de hand' is. Kortom buitenkanterig dus. Een verhaal waarin mensen ook een beetje aardig voor elkaar zijn is al helemaal moeilijk op te brengen voor de bedenkers, zo lijkt het.

Lex Schoorel en Reina Boelens in de televisieserie Armoede, 1982.

De scènes die ik in *Armoede* te spelen kreeg met Eric Schneider, Reina Boelens, Ellen Vogel, Jan Retèl, Jeanne Verstraete en met de kinderen zijn de fijnste die ik ooit heb gespeeld. De locatie in Driebergen was fantastisch van sfeer en de hele zomer lang werkte het weer mee. Bram was op z'n best, het camerawerk van Rob van der Drift was mooi (hij had ook *Duel in de Diepte* al gedraaid) en Beat (ook al erbij in Bonaire) is een ontzettend goede belichter. De hele crew bestond uit aardige mensen en ik kan me geen wanklank herinneren.

Zonder dat ik begreep waarom voelde de rol van Paul als een soort afscheid. Wanneer ik in de jaren erna wel eens een deel liet zien aan vrienden, zat ik geheid te janken. Ik wist niet waarom.

De vorige zomer, in 2001, zag ik de hele serie *Armoede* nog een keer terug, samen met Manjula, op ons vakantieadres in noord Drenthe. Gelukkig heb ik de videobanden nog. Nog steeds vind ik het een erg goede serie, met een uitzonderlijke aandacht gemaakt. De meeste scènes zijn qua spel van een erg goed niveau en alles is prachtig in beeld gebracht. Vooral de op locatie gefilmde scènes zoals die in het (zogenaamde) Vondelpark zijn van een unieke schoonheid. Wat mij dit keer speciaal opviel is de stilte van de hele vertelling. Zo nu en dan is er even een rustig muziekje op de achtergrond (Joop Stokkermans), maar meestal is het stil. Alleen het gesproken woord en de natuurgeluiden. Verder stilte. Dit is een verademing. Tegenwoordig wordt bijna ieder televisieprogramma opgediend met een vette jus van irritant afleidend geluid, waarvan men zegt dat het muziek is, en dat niets bijdraagt aan waar het vertoonde over gaat. Zelfs documentaires of *items* van journaals worden voorzien van een 'verstrooiende' dreun, die het onmogelijk maakt het onderwerp goed te volgen. Zo weinig achting heeft men blijkbaar voor het eigen product en voor de kijker. Het is een voorbeeld van onze neurotische maatschappij, waarin stilte en aandacht verboden artikelen zijn geworden.

In de film *Secrets and Lies* die ik eerder noemde, wordt ook bijna geen muziek gebruikt. Behalve als het functioneel is. Heerlijk is dat. De mensen in het verhaal en wat er met hen en tussen hen gebeurt - daar gaat het om. En je krijgt de kans dat allemaal te volgen. Een verademing. Letterlijk. Je kunt adem halen. Bij het soort programma's dat ik zo-even noemde, met de constante dreun, wordt letterlijk mijn adem gesmoord.

Er zijn een paar rollen waarvoor ik, achteraf gezien, blijkbaar het acteursvak heb gekozen. Daarbij is natuurlijk (naast een aantal grote theaterrollen) de dubbelrol in *Twee Druppels*. Maar Paul in *Armoede* is er zeker ook een van. Paul lag erg dicht bij me. Ik vind het zelf de leukst geschreven rol van de serie. De rol met de meeste nuances, ook met de meeste contacten met anderen. Ik had met vrijwel iedereen wel een aantal scènes te spelen. Paul is een soort *trait d'union* tussen veel personen uit het verhaal. Ik vind mijn scènes met Eric Schneider (de oudere broer) steeds erg goed, naast de lange nachtelijke scène met Evert, de vader (de beste scene uit de hele serie, is mijn bescheiden mening). Er zijn ook een paar scènes met Kitty

Eric Schneider (Bernard) en Lex Schoorel (Paul) in Armoede. Het Vondelpark, de dag na de bevalling van zus Lot, waarbij haar tweeling dood geboren werd .

Armoede. Paul en vader Evert (Jan Retel) in de grote nachtelijke verwijtenscène.

Paul en Kitty (Reina Boelens), na een concert, in het Vondelpark.

(Reina Boelens) die heel aardig zijn, vooral ook doordat Paul in die scènes een beetje gek is. Wie springt er nou in een vijver ten einde op die plek een huwelijksaanzoek te doen? En de scènes met Berrie, in 't internaat en in de trein, vind ik erg goed gelukt. Ook ben ik trots op de scènes waarin ik moest pianospelen... Wie ik ook erg goed vind spelen is de Belgische actrice Mieke Boeve als Ada. Al haar scènes met Henri zijn prachtig, zo ook haar laatste grote scène met Ammy (een scene die Mieke Boeve geheel in haar eentje invult, is opnieuw mijn bescheiden mening). Trouwens, ook Eric van der Donk is erg op z'n plaats als Henri. 't Is geen eenvoudige rol, maar hij speelt hem met alle nuances (en kwetsbaarheid) die maar enigszins mogelijk zijn. Wie mij ook ontroert is het tienjarige meisje dat Jet speelt. De verveelscène in aflevering 2, maar ook de giechelscène aan de eettafel zijn prachtig. En de viool spelende Amelietje wordt ook erg goed gespeeld door Fabiënne Meershoek. Haar scene met Kitty op de boomstronk, waarin ze allebei weg willen lopen, is zelfs bijzonder overtuigend van haar. Evert heb ik al genoemd. Een schitterende rol van Jan Retèl. De man die steeds meer alleen komt te staan, met al z'n 'oordelen'. En naast hem Ton Lensink als Everts broer oom Jan. Een perfect tegenwicht. Ook Gees Linnebank is erg op z'n plek als de leraar Peter, echtgenoot van Lot. En tenslotte Diana Dobbelman, als het Haagse oudste zusje Louise – perfect! *# 1*

Mijn rol in Armoede heeft mij geen werk opgeleverd. Vrijwel geen enkele prestatie aan het theater (of bij de TV of bij de film) heeft een vervolg gehad. Behalve helemaal in het begin misschien. Barend (in *De Hoop*) kreeg ik natuurlijk te doen dankzij *Twee Druppels*. Stefan in *Mama Kijk* vanwege *Musgrave*. Verder - nooit. Dat heeft mij altijd verbaasd en verdroten. De regie van *De Dwergen* had geen vervolg. Terwijl dat toch een onwaarschijnlijk succes was. Ik heb later veel geregisseerd, maar dat was bijna altijd op eigen initiatief. Niet omdat iemand mij vroeg dat te doen (een uitzondering daarop was mijn regie bij Sater). De enige regisseur die mij drie hoofdrollen in tv-series heeft laten spelen, is Bram van Erkel geweest. Dat speelde zich wel af in verloop van bijna twintig jaar... Maar toch, ik ben hem daar erg dankbaar voor.

Uit pure armoede ben ik mij zo rond '85 maar gaan bemoeien

met een jeugdtheatergezelschap. Maar ik deed dat werk in volstrekte anonimiteit en zonder er een cent aan te verdienen.

En Adrian Brine? Na ’66 of ’67 heb ik geen enkel contact meer met hem gehad. Ik weet niet waarom niet. Ik weet nog dat hij zei: *Jij bent het soort acteur dat alleen grote rollen moet spelen.* Tja...

Ik denk niet dat ik plotseling een slecht acteur ben geworden... Ik sta weer ingeschreven bij de twee grootste castingbureaus in Nederland, men weet dat ik besta, maar blijkbaar wil men liever niet weten dat ik besta. Jammer. Ik zou wel es een grijze meneer van rond de zestig jaar met een baardje willen spelen.

Met de NCRV heb ik wel een akkefietje gehad. Tenminste, zo zouden zij dat kunnen voelen, en misschien sta ik sedert ‘84 op een soort zwarte lijst bij ze. Vroeger werkte ik het meest voor de NCRV, ook bij de radio. Johan Wolder, bijvoorbeeld, vroeg mij dikwijls voor hoorspelen. Enkele dagen geleden ontmoette ik Johan Wolder op het terras van een restaurantje in De Lage Vuursche. Hij wist zich nog beter dan ik te herinneren wat ik allemaal in zijn regie heb gedaan voor de radio. Zo was ik jarenlang samen met Paula Majoor het jonge liefdespaar in verschillende hoorspelen.

Paula Majoor en Lex Schoorel in één van de vele hoorspelen waarin wij samen een liefdespaar waren. Eind jaren ’60.

Johan deed ook erg veel met Middelnederlandse teksten. Hij was nogal verbijsterd toen hij hoorde dat ik al zo’n vijftien jaar niet meer voor radio of televisie heb gewerkt.

Wat was er aan de hand? *Armoede* werd rond ‘84 of ‘85 uitgezonden op de Belgische televisie. Vanzelfsprekend kreeg ik (voor die herhaling) wat betaald. Maar ik had de indruk dat het percentage dat werd uitbetaald niet klopte. Dus belde ik de NCRV op. "Ja, dat is een nieuwe regeling". Ik wist van geen nieuwe regeling. Vroeg bij de Kunstenbond of zij er van wisten. Nee, zij wisten ‘t ook niet. Ze zouden ‘t voor me uitzoeken. Enfin. *Vijf jaar later* oordeelde een rechter in hoger beroep dat de Kunstenbond en ik gelijk hadden en dat ten tijde van de uitzending in ‘84 of ‘85 er nog niet duidelijk sprake was van een nieuwe regeling (die later overigens wel van kracht werd). Wellicht is de NCRV daar boos over. Ze moesten natuurlijk ook de proceskosten betalen... Natuurlijk is dit akkefietje met de NCRV niet de enige oorzaak van mijn lange afwezigheid op de Nederlandse radio en TV. Het zou dwaas zijn dat te denken. Maar ja, een mens zoekt toch naar de achtergronden van pijnlijke en moeilijk te verklaren situaties. Nietwaar?

Gondwana Sanctuary, de community in Australië waar Manjula en ik al met al twee jaar hebben gewoond. Rechts Pari in zijn eerste moestuin op Gondwana, 1993.

Gelukkig heb ik ook andere hobby’s. Zo ben ik vier keer in Australië geweest. Er wonen daar veel goede vrienden van ons, bij wie we altijd terecht kunnen.

Het moet eind februari ‘94 geweest zijn toen we terugkeerden van ons eerste lange verblijf in Australië (negen maanden). In Nederland vroor het zeventien graden, daarginds was het dertig graden boven nul. We woonden daar op een plek die *Gondwana Sanctuary* genoemd was, een *community* die toen pas een jaar of zeven bestond.

Een tiental mensen had een kale heuvel, een beek en een enorm stuk grasland gekocht, en op het deel dat bewoond mocht worden (ik denk ongeveer tien procent van het totale oppervlak, volgens de officiële regels van een MO (*Multiple Occupancy*)) werden de *shares* verdeeld, evengoed nog enorme lappen grond, waarop alle *share holders* hun huisje konden bouwen en een mooie tuin creëren. Eerst zette iedereen er een stacaravan neer, waar overheen altijd direct een dak werd gebouwd, en een veranda er voor. En een watertank achter de caravan natuurlijk, om het regenwater van het dak in op te vangen. Nu, zeven jaar later, stond er al een flink aantal mooie huisjes, was de kale heuvel bezig een bos te worden en hadden sommigen hun eigen moestuin.

Rond het huisje waar wij woonden had ik iedere dag in de tuin gewerkt, een moestuin aangelegd en veel bomen geplant.

Ook ben ik in die tijd erg ziek geweest. Een heftige uitbarsting van candida. Eerlijk gezegd dacht ik dat ik dood ging, zo beroerd voelde ik me. De dokter in Byron wist niet wat hij er aan moest doen. Candida wordt door de reguliere geneeskust nog altijd geringschattend weggelachen als een onbeduidend organisme waarvan je hooguit wat schimmel aan je tenen kunt krijgen. Dit onbeduidend organisme zit in ons aller lijf, te wachten tot we onder de grond liggen, want dan kan het helpen onze stoffelijke resten op te ruimen, want daar is het voor. Normaal gesproken kan het geen kwaad en wacht het rustig z'n beurt af. Maar in deze tijd, nu veel mensen steeds meer moe en moedeloos worden, of overwerkt, of wanneer mensen verzwakt zijn (bijvoorbeeld na een antibioticumkuur), of wanneer mensen overmatig veel suiker nuttigen, denkt het schimmeltje: NU! En slaat toe. En vermenigvuldigt zich naar hartenlust en dringt uiteindelijk door in het bloed, dwars door de darmwand en in alle organen, en de lijst met klachten en kwalen die het gevolg kunnen zijn, is niet op één A4-tje op te sommen. Toen ik voor de vierde keer bij de arts kwam, ondersteund door Manjula en een kennis (ik kon niet meer op m'n eigen benen lopen of autorijden vanwege de duizeligheid), vond hij me eigenlijk maar vervelend. Gelukkig kwam ik weer eens bij een goede alternatieve therapeut terecht, die met haar kinesiologie methode in een paar minuten een diagnose had gesteld en die mij, ook middels haar kinesiologie methode een zeer streng dieet voorschreef, waardoor ik binnen een paar maanden weer volstrekt gezond was. Toen kon ik weer vrolijk doorgaan met bomen planten en zwemmen in de schone zee.

In ongeveer twee en een half uur kon je lopend naar Byron Bay, vanaf onze heuvel. Eerst door het natuurgebied en dan over 't strand. Op het eind nog even door de *creek*, die een paar kilometer voor het dorp in zee uitkomt.

Byron is het meest oostelijke punt van Australië. 't Is een oud vissersdorp, waar vroeger walvissen werden binnengesleept en verwerkt. De hal van de oude walvisfabriek staat er nog. 't Is nu een cultureel centrum. Byron was de eerste plek ter wereld waar men bewust met de walvisvangst stopte, ten einde de diersoort niet verder uit te roeien. Nu is het een vriendelijk, klein toeristisch dorp, met nog altijd een hippiesfeertje, waar veel jonge mensen zich prettig voelen. Hoge hotels zijn er niet en in de zee kun je goed surfen. Twintig tot dertig jaar geleden kon je je er gemakkelijk vestigen en duizenden alternatievelingen hebben dat dan ook gedaan, tot ver in het beboste achterland. Zij voorkwamen ook de kap van een prachtig stuk regenwoud, waarin de 100 meter hoge waterval sindsdien *Protesters' Falls* wordt genoemd. Helaas zijn de regels voor immigratie nu al een jaar of vijftien erg streng en lukt het vrijwel niet meer het land in te komen, behalve als toerist of als miljonair.

Elsie en Manjula, wandelend over het wijde, schone, stille, zonnige strand van Tyagarah, richting Byron Bay. December 1994.

Pari en de kippen, Beuningen, zomer 1994.

In Nederland was het dus zeventien graden onder nul. We konden een paar kamers huren in een kleine commune in Beuningen. Daar was het goed toeven. Ook daar was een grote tuin en vanaf half april kon ik me dus weer aan m'n slakropjes, boontjes, bietjes en aardappels wijden. Ik herbouwde het verwaarloosde oude kippenhok, creëerde een grote omheinde ren en er kwamen prachtige grote zwarte kippen die veel grote witte eieren legden. Vlak voor de zomer ontvingen we twee brieven uit Gondwana. Beide afzenders wilden dolgraag dat we weer een tijd in hun huis kwamen wonen, omdat zij een lange tijd weg zouden zijn. Dus gingen we terug. We regelden dat we een gedeelte van de tijd in 't ene en een gedeelte in 't andere huis zouden vertoeven. De tuinen van de huizen grensden aan elkaar, dus ik kon me over twee tuinen gaan ontfermen.

In de zomer hadden we nog een groot feest op de commune in Beuningen, waar een band kwam spelen (door Manjula en mij uitgenodigd) van beroemde en bevriende buitenlandse muzikanten die toch al door Europa aan 't toeren waren. Dat was een mooi afscheid van Beuningen.

We aten ook nog onze eerste zelf gepote aardappels. We brachten wat van onze dierbare spullen naar een internationale verhuizer en een paar maanden later kwam er een bijna twee meter

Het afscheidsfeest in Beuningen, augustus 1994. De avondmeditatie in de open lucht, met live muziek. Vooraan in het midden, met het lange lichte haar, Manjula.

hoge krat aan op Gondwana, die door meneer Robinson behendig op onze veranda werd geplant. We hadden het gevoel daar niet meer weg te hoeven. We aten mango's, sinaasappels en bananen uit onze eigen tuin en Manjula zorgde voor de paarden aan de overkant, onder aan de heuvel.

Toen wij, na Manjula's tweede operatie, begin augustus 1999 voor de derde keer in Australië aankwamen, wist iedereen in Byron Bay nog wie wij waren, bijvoorbeeld het winkelpersoneel, en was iedereen even hartelijk bij het weerzien. We waren ruim 4 jaar weg geweest.

Door een soort wonder ontmoette ik Margot. Zij was een gepensioneerde pianiste van ongeveer zeventig jaar. Ze speelde nog erg goed. Ze woonde in een nabijgelegen dorp, op een heuvel met uitzicht op zee, op zo'n twintig kilometer van waar wij woonden. We namen al mijn liederen door, steeds als ik de teksten ervan had vertaald in 't Engels, met een Australische vriend. Daarna schreef ik een nieuwe cyclus, op gedichten van de beroemde Australische dichteres Judith Wright. Ook die speelde ze door. Ze vond mijn muziek mooi. Dat deed me goed. Zij was een beroemde begeleidster geweest, van alle soorten kamermuziek met piano. Ze kende ontzettend veel liederen van bijvoorbeeld Schubert, Schumann, Brahms en Wolff. Dus haar waardering voor mijn muziek betekende veel voor me. Toen wij vrij plotseling, na zes maanden, terug moesten naar Nederland (doordat het reisbureau ons een verkeerd visum had bezorgd...), gaf zij ter ere van ons een overweldigende *farewell party*. Met veel lekkers en veel live muziek. Ontroerend. Ze had allerlei bevriende muzikanten uitgenodigd. Stond ik daar ineens liederen van Brahms te zingen en duetten van Mendelssohn met een wildvreemde sopraan...

Ik had Margot leren kennen via de oude meneer van de oude winkel met tweedehands boeken in Mullum. Zes jaar eerder zat hij daar ook al en hij wist nog dat ik in die periode alle Sherlock Holmes verhalen had gelezen. Het verbaasde me dat zijn overduidelijke somberheid hem nog steeds niet belette om dagelijks in z'n winkel aanwezig te zijn. Het gebouw was een oud bankgebouw, van hout, zoals alle oudere gebouwen in Australië, nog beschermd door een nogal primitief ijzeren traliehek en met van binnen een aantal donkere en geheimzinnige kamers, als in een slakkenhuis, allemaal vol met boeken. Er stond een oude hoge zwarte piano, waarop hij zo nu en dan iets klassieks probeerde te spelen. Dat ging hem niet zo best af. Maar meestal draaide hij bandjes met allerlei verschillende klassieke muziek. Vaak opera's. Hij zat altijd te lezen in een lage stoel (meestal een krant), min of meer verstopt achter een soort toonbank, en hij deed alsof hij z'n klanten niet in de gaten hield. De schappen met boeken waren een enorme rotzooi, maar als het er op aan kwam wist hij precies wat hij in huis had en waar het stond. Links en rechts in de winkel stonden moderne schilderijen op de grond en sommige hingen aan de muur. Die bleken gemaakt te worden door de zoon van de boekenmeneer.

Soms vertoonde de zoon zich even in de winkel. Hij zag er uit als een boze landloper en wanneer hij iets zei kon ik hem niet verstaan. Dat was des te opvallender omdat de boekenmeneer een soort Engelse gentleman leek te zijn, die zeer keurig Engels sprak. De

Pianiste Margot Dods, voor de houten "hall" in het piepkleine dorp Tyalgum, bij een muziekfestival.

meeste Australiërs spreken Engels op een zeer on-Engelse manier, zoals men wel weet. Dan was er nog de vrouw van de boekenmeneer. Zij paste een enkele keer op de winkel, wanneer meneer per se zijn stoel moest verlaten. Maar vooral was het haar functie om tussen de middag *fish and chips* te halen bij de kroeg op de hoek - de vaste lunch.

Ik zocht een pianist om mee te werken en eerlijk gezegd had ik niet verwacht binnen een straal van een paar honderd kilometer een echte pianist te vinden. De streek waar wij altijd vertoeven is ver weg van welke grote stad dan ook, dat is één van de prettige kanten er van. Maar toch - de meneer van de boeken leek mij de aangewezen persoon om althans bij te informeren. Hij noemde direct Margot. Eén avond in de week speelde hij bridge met haar. Zo kwam ik dus bij Margot terecht, tot wederzijds genoegen. Margot organiseerde het lokale muziekgebeuren. Lokaal wil zeggen een gebied ter grootte van een Nederlandse provincie. Een keer of vier per jaar wist zij een muzikant te charteren die voor niet al te veel geld ergens in de omgeving muziek kwam maken. De locatie waar dat gebeurde wisselde. Het moest vooral goedkoop zijn.

Zo trad er in de aula van een school in Mullum een pianiste op, een jonge vrouw die *het* aankomende talent van Australië heette te zijn. Natuurlijk gingen wij er heen. Op een zondagmiddag. De pianiste toerde door Australië met haar manager, in een vrachtwagen. In de vrachtwagen stond ook haar eigen vleugel waarop zij, in de vrachtwagen, placht te studeren en die er bij concerten uitgetakeld werd. Toen het concert begon was de helft van het publiek nog niet binnen, maar dat bleek geen belemmering. Er was veel publiek komen opdraven uit de verre omgeving, maar dat kwam vooral om met elkaar te praten. Tenslotte zie je elkaar niet iedere dag in zo'n groot land, dus wanneer je dan eens bij elkaar komt mag er best iemand op een piano door je gesprek heen spelen. De pianiste had haar donkere haar in een strenge vlecht bijeengebonden en ze had haar strengste gezicht bij zich. Ze speelde een groot aantal vrij bekende 'nummers', vooral van Chopin. De heer die naast mij zat onderbrak zijn gesprek met zijn echtgenote om naar hartenlust mee te zingen, want hij was verrukt dat hij iets van het gebodene bleek te herkennen. De pianiste leek zich niets aan te trekken van wat er om haar heen gebeurde. Zij speelde heel veel noten in een erg korte tijd. En al die noten keihard. Het leek of zij een bloedhekel had aan haar instrument - zij onderwierp het aan een openbare foltering. Het verbaasde me dat er geen onderdelen van de vleugel op de vloer vielen, tijdens haar spel. Ik kreeg de associatie dat zij een onaangename, strenge vader had gehad, en dat zij haar boosheid op de man lekker kon afreageren middels het arme instrument waarop zij, met de dreiging van zweepslagen vijftien jaar lang iedere dag had moeten studeren, uren en uren, terwijl ze eigenlijk gewoon in bomen had willen klimmen. Het publiek vond al het geweld indrukwekkend.

Er waren twee pauzes. In de pauzes kon je de onvermijdelijke Engelse muffins en scones eten en thee drinken uit een plastic bekertje, iets wat altijd door lieve vrijwilligers wordt geregeld. Bij de tweede pauze zijn wij voorzichtigjes vertrokken, in de hoop dat de goede Margot het niet zou merken. Later hoorde ik dat zij de concerten vaak uit eigen zak financiert, althans borg staat bij te lage inkomsten...

Een paar maanden later was er weer een concert, nu bij iemand thuis. Je moest uitgenodigd worden, en dat werd ik dus, door Margot. Het huis was een afgelegen miljonairshuis, met veel grond er om heen, een lange oprit en een uitzicht. Bij binnenkomst stond er direct een enorme tafel met lekkere dingen, waar men pas in de pauze van mocht genieten. In een niet al te grote kamer stonden wat stoelen en een bankstel, voor de gelegenheid met de voorkant in één richting geschoven. Maar de meeste mensen hadden een eigen klapstoel meegebracht. Dat was gevraagd. Er kwam een Amerikaanse violist die in Portugal woont en zo nu en dan in Australië vertoeft. Hij bracht een programma met Mediterrane muziek en tussendoor hield hij een praatje met lichtbeelden over de architectuur in de landen rond de Middellandse zee. Hij deed dat allemaal bijzonder aardig. Zijn vioolspel was fantastisch. De ruimte had natuurlijk volstrekt geen akoestiek en aanvankelijk moest hij ook nog de zoem van de fan overstemmen die ons koelte toezwaaide vanaf het plafond. Tot ik suggereerde de fan in elk geval tijdens zijn spel stil te zetten.

Wij waren verzeild geraakt in een milieu van zeer rijke, meest oudere mensen, waar tussendoor een paar artiesten liepen, zoals de beeldhouwer die in Mullum de modeltekengroep organiseerde, waar Manjula wekelijks naar toe ging. Maar ook de sombere gentleman van de boekwinkel was aanwezig. Hij was altijd aanwezig wanneer er ergens iets cultureels aan de hand was. Hij was ook bij ons superbe afscheidsfeest ten huize van Margot en Ian, en in de loop van de avond verzekerde hij mij meermalen, met tranen in z'n ogen en met een paar borrels achter de kiezen, dat hij niet wist dat men in de Duitse taal zo mooi kon zingen. In de pauze werd ik voorgesteld aan de violist als *'the Dutch composer'*. Hij bleek al alles van me af te weten, daar had Margot voor gezorgd.

Margot en ik schrijven elkaar minstens één maal per jaar. Begin dit jaar (2002) ontving ik plotseling een CD van haar, waarop zij werken van Schubert en Brahms speelt. Zeer recent opgenomen in een nieuwe studio in Mullum. Haar spel is niet meer geheel trefzeker, maar wel ontroerend... *# 2*

Wij woonden in een klein huisje op een beboste heuvel op een kilometer of tien van ons dorp Mullumbimby. De eigenaar van het huisje had het hoogst persoonlijk daar neergezet, samen met zijn vrouw, op de plek waar een jaar of twintig geleden nog de *dairy* was geweest, de melkschuur zeg maar. Het grootste deel van Australië is door vorige generaties kaalgekapt ter wille van de veehouderij. Nu zijn er gelukkig weer stukken die worden herbebost, vaak door particulieren, namelijk om hun eigen huizen heen. En gelukkig groeien de bomen er snel... Om onze heuvel heen liep een beek, die je altijd kon horen. Als het flink had geregend werd de beek een woeste rivier. Wat verder landinwaarts wonen kennissen van ons die altijd al een keer of tien door dezelfde beek moeten rijden om bij hun huis te komen, maar die hun huis soms niet kunnen bereiken als de beek een rivier is geworden. Over onze heuvel lopend, langs het prachtige oude huis van de eigenaar, met de brede veranda's aan drie kanten en de eeuwenoude *fig tree* als een beschermende reus er naast, konden wij doorsteken naar de achterburen, ongeveer een kilometer verderop. Wij wandelden daar een keer heen, om kennis te maken. Australiërs stellen dat bijzonder op prijs, als je nieuw bent. Daarna willen ze graag met rust gelaten worden, net als Nederlanders. De vrouw was alleen thuis, Wendy, ook al een jaar of zeventig, denk ik. Ze liet ons haar schitterende huis zien, de schitterende schilderijen die zij maakte en daarna de tuin. Tienduizenden bomen had ze er geplant, met haar man, door de jaren heen. Het was een paradijs geworden. Haar man was uitvinder. Hij bedacht systemen om planten te bewateren met exact de hoeveelheid die ze nodig hebben, gebruik makend van zonne-energie. Onderaan hun heuvel liep ook weer de beek. Wendy was tot voor kort

ook bezig geweest met het opvangen van gewonde koala's, of koala baby's die hun moeder waren verloren. Ze bracht ze groot op zo'n manier dat ze later weer in de natuur konden worden uitgezet. Inmiddels had iemand anders dat werk van haar overgenomen. De rondleiding die wij kregen duurde drie uur. Ontzettend lief.

Er waren daar veel koala's. De ongeveer acht huiseigenaren van ‘onze’ *valley* hadden afgesproken dat ze geen honden zouden nemen. Want honden en koala’s - dat gaat niet samen. Koala’s zijn nogal onhandige, kwetsbare dieren. In de bomen zijn ze wel veilig, maar soms moeten ze over de grond naar een volgende boom. Ze eten alleen het blad van een paar soorten eucalyptusbomen. In dat blad zit een verdovend goedje, dus ze zitten het grootste gedeelte van de dag *stoned* op een tak. ‘s Nachts laten ze zich wel es horen, vooral de mannetjes. Ze maken dan een uitgesproken lelijk geluid, dat lijkt op het balken van een ezel. In de boom naast ons huisje zat vaak ‘onze’ koala. Blijkbaar was het zijn boom. Nadat wij een paar maanden hadden genoten van zijn slome maar aandoenlijke manier van doen, was hij plotseling verdwenen. Onze huisbazin vond hem een paar dagen later, in de struiken onder de boom, dood en stijf. Een raadsel.

Om ons huis vlogen iedere dag verschillende soorten papagaaien. De kleuren van deze vogels zijn verbijsterend mooi en onverwacht. Wanneer ze vliegen en je ziet de onderkant van hun vleugels, hebben ze weer heel andere kleuren dan wanneer ze op een tak zitten. En dan de *rosella’s*, de *honey eaters*, de *lorikeets* en de *magpies*, die zo ontroerend mooi zingen, altijd een dialoog tussen hem en haar, en natuurlijk de *kookaburras*, Australië’s tweede symbool, naast de koala. Ook legde ik m’n zoveelste moestuin aan, vlak achter het huis. In de kortste keren aten we tien soorten groente uit ons tuintje, en toen we weer moesten vertrekken waren er veel pompoenen voor de volgende huurders.

Het was een nat jaar, maar ik vond dat wel fijn. Australië kan zeer heet zijn in december en januari. Dat was ‘t nu niet. Op een dag kwam er onweer. Daaraan vooraf hagelde het. Het was drie uur in de middag. We waren binnen. Het begon te waaien en ik dacht dat er een zware tak op het golfplaten dak viel, en toen weer een en weer een. Het bleken hagelstenen te zijn van twee decimeter doorsnee. Even later was de hele tuin wit. Het was 25 graden boven nul. Hadden de hagelstenen de dood van de koala op hun geweten? Australië is een land van uitersten... *# 3*

Sedert twee jaar schrijf ik dus weer muziek, en het leek me een aardig idee, in december ‘98, om Steven weer es op te zoeken in

Wageningen, m'n 'oude' pianist dus. Inderdaad is hij, net als ik, geheel grijs geworden, maar verder is hij niet veel veranderd. En hij speelt nog steeds prachtig piano. We hadden elkaar vijf en twintig jaar niet gezien... Tijdens vijf verschillende sessies heeft hij m'n nieuwe muziek doorgespeeld. Het was of die vijf en twintig jaar maar een week was geweest, toen ik weer bij z'n vleugel stond te zingen. En dankzij Steven weet ik (opnieuw) dat ik mooie muziek schrijf!

Het is niet eenvoudig om mensen te vinden, professionele muzikanten, die bereid zijn om nieuwe muziek door te nemen zonder dat ze daar direct iets aan verdienen. Ik realiseer me dat ik daar dertig tot vijf en twintig jaar geleden ontzettende mazzel mee heb gehad. Met Steven heb ik destijds onwaarschijnlijk veel uren gestudeerd en recitals gegeven, zonder dat wij daar financieel veel beter van werden. Ik heb de laatste jaren ondervonden dat zangers van nu menen zich niet te kunnen veroorloven nieuwe muziek in te studeren uit vriendschap met de componist of uit waardering voor diens muziek. En zelfs nog niet afgestudeerde conservatoriumleerlingen voelen zichzelf al te belangrijk om wat dan ook 'belangeloos' te doen, d.w.z. zonder dat ze weten dat het geld zal opleveren of tot een serie (!) concerten zal leiden. Daar word ik wel droevig van. Natuurlijk omdat mensen daardoor mijn muziek moeilijk te horen zullen krijgen, maar ook omdat ik het hart mis. Het hart. Jawel - het blijkbaar krimpende hart. Als ik naga wat ik door de jaren heen heb gedaan bij het toneel en in de muziek omdat mijn hart daar lag, dan vermoed ik dat ik vijf en negentig procent van al dat werk zonder enige vergoeding heb uitgevoerd. En ik ben ontzettend blij dat ik het heb gedaan. Mijn leven zou armoedig geweest zijn wanneer ik die onbezoldigde vijf en negentig procent had buitengesloten.

Inmiddels is er wel wat gebeurd. Een klein jaar geleden richtten

Manjula en ik de stichting 'Amarillis' op. Via deze stichting deden wij een aantal subsidieaanvragen om concerten te kunnen geven met mijn liederen en een aantal duetten. Die subsidie is dan met name bedoeld om de muzikanten te kunnen betalen. Eén subsidieaanvraag werd gehonoreerd, namelijk door het Amsterdams Fonds voor de Kunst. Het project waarbinnen wij de concerten willen geven hebben wij *Zeer Kleine Speeldoos* genoemd, naar de titel van een gedicht van Paul van Ostaijen dat ook door mij op muziek werd gezet en dat in het programma voorkomt. Het eerste woord uit dat gedicht is Amarillis... Het Amsterdams Fonds voor de Kunst schreef in zijn beoordeling: *"Het project Zeer Kleine Speeldoos is bijzonder en eigenzinnig. De commissie vindt dat de werken van Schoorel inventief gecomponeerd zijn. De commissie waardeert de keuze van de teksten en de muzikale vormgeving ervan."* Dankzij hun subsidie kunnen er nu (volgend voorjaar) twee concerten in Amsterdam plaatsvinden, waarvan het eerste in De IJsbreker, zoals ik al vertelde. Dit najaar al zullen er twee concerten met hetzelfde programma plaatsvinden in het kasteel De Hooge Vuursche, hier in Baarn, met enige financiële steun van de gemeente.

Repetitie van het concert Romeo en Julia (hier derde acte, vijfde scène), in de Paaskerk in Baarn, september 2005. Aan de vleugel Kelvin Grout (met Pari als 'omslagwerker'), verder fluitiste Wieke Karsten, violiste Susanne Broekhuyzen en celliste Lotte Beukman.

Verleden jaar werkte ik (als zanger en componist) een keer of zeven met de Franse pianiste Violaine Delplanque. Zij bleek veel affiniteit te hebben met mijn muziek en zij heeft mij een aantal malen zeer verrast door de wijze waarop zij de begeleidingen speelde. Dankzij haar weet ik (opnieuw) dat er veel mogelijk is bij het vertolken van mijn muziek - het notenbeeld heeft daartoe voldoende rijkdom ingebouwd.

Het concert Zeer Kleine Speeldoos in kasteel De Hooghe Vuursche in Baarn. September 2002. Claudia Patacca en Pierre Mak zingende en componist Pari (spreker bij dit concert) luisterende. Foto: Wouter Schoorel.

 # 1 Ik verwijs opnieuw naar mijn lange verhaal in *BOEK II* over het boek *Armoede* in vergelijking met de televisieserie *Armoede*.
 # 2 De pianiste Margot Dods is op 6 februari 2013 overleden.
 # 3 Ook *BOEK II* behelst verschillende lange verhalen over Australië.

DE KONING DIE NIET DOOD KON

Vierde bedrijf - scène 5b

De morgen na de kroning.

De keuken in het kasteel.

De meid en Ada zitten bij de tafel. Klaas staat nu, tegen het aanrecht geleund.

Klaas *(tegen Ada)*: Weet jij wie dat was, Ada, met wie de koning zat te praten?

Ada: Die monnik?

Klaas: Was 't toch een monnik?

Ada: Ja. Waarschijnlijk wel. Dat wist Hubertus ook niet precies. Hij heeft 'm heel lang geleden ontmoet. Op z'n laatste reis. Toen hebben ze even met elkaar gesproken. En Hubertus kreeg toen een soort cadeau van hem. Een kistje... Ik denk dat de monnik wou weten of ie het nog had. Dat ie daarom kwam kijken. En voor het feest natuurlijk.

Meid: Ja. *(Ze voelt dat Ada niet het hele verhaal vertelt.)*

Ada: 't Leek me een aardige man.

Meid: Ja. Hij was ineens weer verdwenen.

Ada: Ja. Dat is waar... Dat is typisch iets voor hem, denk ik.

Ze glimlacht. De deur gaat open en de hofnar komt binnen, met het kopje thee.

Meid: Wou ie 't niet?

Nar *(als hij het begrijpt)*: Nee. Hij wou het niet. Hij is dood.

Een stilte. De hofnar blijft staan. Klaas loopt naar hem toe en pakt het kopje thee uit z'n handen en zet het op het aanrecht. Dan komt hij weer terug bij de nar en laat hem gaan zitten bij de tafel. Dan komt Siem binnen, dik ingepakt en met sneeuw op z'n jas en z'n muts.

Siem: Hallo allemaal!

Hij sluit de deur achter zich maar blijft daar staan.

Wie heeft er zin in een ritje met de slee? 't Is prachtig buiten en 't paard heeft er zin in! Er kunnen vier mensen mee. Ik heb de slee zo dicht mogelijk voor het huis gereden. *(kleine stilte)* Of liever straks? Dan rij ik de slee zo lang even in de open schuur. Staat het paard uit de wind.

Ada: Siem... *(Siem zwijgt.)* De koning is dood.

Siem: O... Ik vond jullie al zo stil.

Kleine stilte. Hij doet z'n muts af en trekt z'n jas en handschoenen uit.

Jammer. Ik had gehoopt dat de koning... Hij houdt van buiten. Hij heeft nog nooit in m'n slee gereden...

Hij is iets verder de keuken in gekomen.

Ada: De hofnar heeft hem zojuist... Hij bracht 'm z'n thee.

Siem: Hij lag nog op bed..?

Ada: Ja. Hij ligt op z'n bed.

Kleine stilte. De meid gaat achter de hofnar staan en legt haar handen op z'n schouders.

Siem: Moet er niet iemand naar hem toe? Dat er iemand bij hem is? Of om de beurt?

Klaas: Ja. Ik ga even kijken.

Ada: Ik kom ook zo...

Klaas verlaat de keuken. Siem staat nog.

Hij wou vuurwerk... *(Niemand begrijpt haar.)*

De koning wil dat we vuurwerk afsteken, 's avonds, als ie dood is. Dat heeft ie me een paar dagen geleden gezegd.

Meid: Ja. Vandaar. Ik begreep 't al niet. Karel heeft vuurwerk gekocht. Dat had de koning hem gevraagd.*(kleine stilte)* Dus hij wist het.

Nar: Ja. Hij wist het. Gisteravond wist ie het. Toen ik hem naar z'n kamer bracht.

Kleine stilte. De anderen wachten of hij dat wil uitleggen. Maar de nar zegt alleen nog:

Nar: Hij was zo tevreden...

Ada: Hij wist dat 't nu kon. Hij had het kistje opengemaakt. 't Kistje van de monnik. Ik was erbij. Daarom kon ie nu dood. Dat was de afspraak. Of liever - 't hoefde niet direct. Hij wist niet zeker dat ie al zo vlug zou doodgaan. Maar 't kon wel. Hij wou wel. Hij zei dat ie wel wou... Hij keek er niet eens in, toen ie 't had opengemaakt. Ik wel. 't Was leeg!

Stilte. Siem gaat zitten op een stoel naast Ada. Kleine stilte. Dan kruipt Ada bij Siem op schoot. Kleine stilte.

Ada: Stom hè?.. Iemand gaat dood en je kunt niks voor 'm doen.

(Stilte. Tegen Siem:)
Zullen we even naar hem toe?

Siem: Goed. Rij ik even de slee naar de schuur.
(Siem en Ada staan op.)

Ada: Ik ga vast.

Siem: Zeker weten?

Ada: Ja.

Siem: Ik kom zo.

Siem heeft z'n jas weer aangetrokken en hij verdwijnt door de deur naar buiten. Ada door de deur van het kasteel. De meid en de nar blijven alleen achter. Ze veranderen niet van houding. Een stilte.

Einde van scène IV - 5b

Hoofdstuk 11 - Con Spirito (levendig)

Eén van de redenen waarom ik in dit leven terecht ben gekomen is, blijkbaar, om m'n mond open te doen over dingen die ik oneerlijk vind, of om sowieso te zeggen wat ik van iets vind als 't in mijn ogen - of gevoel - niet deugt (of wel deugt). Zelden wordt me dat in dank afgenomen. Zo repeteerde ik in '83 in Amsterdam mee voor een ad hoc productie waarin allemaal werkloze (freelance) acteurs meespeelden, zonder daar een cent mee te verdienen. Er was in die tijd (nog steeds, denk ik) een regeling dat mensen met een SD uitkering onbezoldigd mochten meewerken aan theaterproducties, met behoud van uitkering, mits dat van te voren was opgegeven en goedgekeurd aan en door de SD. Later heb ik dat zelf moeten regelen voor een jeugdtheatergezelschap. In de betreffende productie was de regisseuse naar huis gestuurd na enkele weken, omdat ze er niets van bakte en de mensen knettergek maakte, en we hadden een andere, minder stoffige repetitieruimte gevonden, beide voorvallen voornamelijk te danken aan mijn 'grote mond'. Iedereen was 't met me eens, maar Pari moest weer eens het voortouw nemen. Ook bemoeide ik me een heel klein beetje met de regie, want er was immers geen regisseur meer. De repetities verliepen niet onaardig.

Een week voor de première kwamen we er achter dat de vereiste regeling met de SD door de 'leiding' niet was getroffen. Kort daarvoor hadden in de kranten verschillende gevallen gestaan waarbij mensen op die manier hun uitkering hadden verspeeld. Grote commotie bij iedereen. Op mijn vraag of dat wellicht nog geregeld zou kunnen worden met de SD, was het botte antwoord van de leiding: daarvoor is het nu te laat. O.K., zei ik toen, dan ben ik weg. Tja, toen had ik het natuurlijk gedaan. Iedereen boos, op twee actrices na, die vonden dat ik gelijk had. De productie werd afgeblazen. Overigens hadden ze mijn rol nog best kunnen laten vervangen, want zoveel stelde die niet voor. Maar ik denk dat het een aantal mensen wel goed uitkwam om de voorstelling niet te laten doorgaan, en dus kwam het helemaal goed uit dat zich daarvoor een zondebok had gemeld.

Door het schrijnend gebrek aan werk en het enorme aantal talentvolle acteurs, is de gemiddelde acteur redelijk makkelijk te manipuleren. Heeft hij eenmaal een baantje, dan zal hij voorzichtig zijn met protesteren tegen misstanden, op welk vlak die ook liggen. Naast het financiële comfort van het baantje wil hij ook de eventuele kans op grotere bekendheid (en dus wellicht weer een volgend baantje) niet verspelen. Hij is dus geneigd wat van zijn integriteit in te leveren.

Rachel Ann Morgan (alt) en Kelvin Grout (pianist) bij de opnames van mijn Judith Wright liederen in een studio in Amsterdam.

Muziek heeft één groot voordeel t.o.v. het toneel. Dat is het notenbeeld. Muziek maken gebeurt (in negen en negentig procent van alle gevallen) op basis van een notenbeeld, dat dikwijls al jaren of eeuwen geleden op papier is gezet door een componist. Het is de gewoonte dat zo'n notenbeeld tot in het kleinste detail gerespecteerd wordt. Teneinde deze noten te kunnen omzetten in welluidende klanken moeten de uitvoerende muzikanten jarenlang een instrument geoefend hebben. Het notenbeeld en de vereiste vaardigheid op het instrument (wat ook een stem kan zijn) vormen tezamen een ijzersterke hindernis tegen flauwekul. Een violist in een orkest die of zijn instrument niet voldoende beheerst of het notenbeeld dat voor zijn neus staat niet correct weet weer te geven, verliest zijn baan. Logisch. Binnen deze ijzeren beperkingen van notenbeeld en techniek zijn artistieke en gevoelsmatige vrijheden mogelijk, die de uitvoering echt interessant kunnen maken.

Vergelijken wij nu het toneel. Toneel hangt van vrijheden aan elkaar. Natuurlijk is daar de tekst. Waar we bij muziek uitgaan van de compositie, gaan we bij het toneel uit van het toneelstuk. Vaak is die tekst goed, namelijk een tekst van een goede toneelschrijver. Een goed toneelstuk wordt op papier al door veel theatermensen 'herkend'. Maar een goede toneeltekst is volstrekt geen ijzeren barrière tegen flauwekul. De meest schitterende toneelstukken kunnen ontkracht of verkracht worden door onbekwaamheid van de uitvoerders, of opvoerders. Onbekwaamheid is in dit geval een verzamelwoord. Het kan inhouden: domheid, gebrek aan achtergrondkennis van de schrijver en/of zijn stuk, gebrek aan inzicht, eigenwijsheid, gebrek aan respect voor de schrijver en zijn stuk, het verlangen van de regisseur zichzelf belangrijker te vinden dan de schrijver, een zucht tot 'scoren' middels modernismen, dus een zucht tot epateren van het publiek, het waanidee iets 'nieuws' met het stuk te kunnen doen, enz. enz.

Nu hebben we bij een toneelvoorstelling niet alleen te maken met het wel of niet aanwezige respect voor en inzicht in het gekozen toneelstuk. Een tweede delicate factor is het feit dat de instrumenten die de voorstelling gestalte geven, de lichamen van de acteurs zijn, waarmee zij bewegen en spreken. Een acteur is zijn eigen instrument. Dat is prachtig en wezenlijk voor het theater en het kan tot ontroerende resultaten leiden, maar het is ook linke soep. Een valse noot of een te laat gespeelde noot op een viool zijn direct herkenbaar en als ongewenst te bestempelen. Maar een valse interpretatie van een toneelrol is dat niet. Want wie beslist bij een acteursprestatie of bij een regisseursinterpretatie of deze vals is of juist? De acteur en de regisseur genieten een vrijwel ongelimiteerde vrijheid om met een tekst of met een scène uit te vogelen wat ze maar willen. Nooit zal iedereen een bepaalde interpretatie unaniem mooi of lelijk, correct of verkeerd vinden, want er is geen enkel criterium. Waar bij de muziek het notenbeeld en de techniek tezamen al vijf en negentig procent van het eindresultaat garanderen, zijn de acteur en de regisseur zo vrij als een vogeltje om ons de meest schitterende of de meest afschuwelijke keuzes voor te schotelen.

Daar komt nog bij dat het gemiddelde publiek in de meeste gevallen geen flauw benul heeft van de kwaliteiten van het oorspronkelijke toneelstuk, dus dikwijls zal men al gauw onder de indruk zijn van het vertoonde, niet in staat te beoordelen of de voorstelling relevant is t.o.v. wat de toneelschrijver ooit op papier zette.

Vanzelfsprekend kunnen wij dat benul van de toeschouwer ook niet eisen. We kunnen moeilijk van hem verwachten dat hij, alvorens zich naar het theater te begeven, zich verdiept in de tekst van de al dan niet beroemde toneelschrijver die toevallig die avond aan de beurt is. En dat hij zich daar ook nog een redelijk oordeel over vormt. Wat dat betreft is de muziek al weer in het voordeel: veel beroemde en vaak uitgevoerde muziekwerken zijn bij het muziekminnend publiek enigszins of zelfs goed bekend.

Van de honderden toneelvoorstellingen die ik zelf sedert ruim veertig jaar heb mogen aanschouwen, waren drie van de vier in mijn ogen het aanzien niet waard. Omdat er bij die drie van de vier keuzes waren gemaakt, of niet waren gemaakt, die een belediging waren voor mijn intelligentie en mijn smaak, en waarbij ik in een onbeschrijflijke droefenis belandde vanwege mijn liefde voor het mooie vak toneel in relatie tot het vertoonde. Gelukkig was er bij het merendeel van die voorstellingen een pauze, zodat ik de kwelling niet tot het einde toe hoefde te ondergaan. Een aantal keren verliet ik de zaal al na één scène...

En waarom blijf ik een voorstelling *wel* uitzitten, waarom vind ik die voorstelling goed of de moeite waard? Bijvoorbeeld omdat er een soort eerlijkheid de zaal in komt. Bijvoorbeeld omdat ik ontroerd word door wat ik zie en hoor. Bijvoorbeeld omdat ik zie en voel dat de acteurs met liefde voor hun vak en elkaar bezig zijn en daardoor met respect voor het publiek. Bijvoorbeeld doordat het gekozen stuk zo mooi is 'ingevuld'. En doordat ik zie dat de gekozen expressiemiddelen ten dienste staan van het gekozen toneelstuk. Bijvoorbeeld doordat ik voel en zie dat de acteurs hun vak beheersen. Bijvoorbeeld omdat ik oprecht moet lachen om een vertoonde komedie.

Bijna altijd zal het publiek na afloop van een voorstelling braaf applaudisseren. Ik kan me niet herinneren ooit te hebben meegemaakt dat het publiek z'n afkeuring liet merken. Omdat die afkeuring er bijna nooit is. Denk ik. Ik denk dat men zichzelf dikwijls niet in staat acht een waardeoordeel over een voorstelling te hebben. "Ik heb het niet begrepen, maar dat lag waarschijnlijk aan mij." Ik heb vaak meegemaakt dat het publiek de meest vreselijke voorstellingen, met de meest stupide 'regieopvattingen', voor zoete koek slikte, blijkbaar in de waan naar een eigentijdse kunstuiting te hebben zitten kijken, waarop men geen kritiek mocht hebben. Want Kunst. Trouwens, de slechtste voorstellingen worden soms beloond met een prijs, dus wat zouden wij het publiek verwijten...

Doordat ik veel geregisseerd heb kreeg ik vaak bestaande vertalingen onder ogen. Soms begint daar al de miskleun. Ik heb stukken in handen gehad waarin hele gedeeltes door de vertaler waren geschrapt. Of de vertaling was op veel plekken domweg niet juist. Of bepaalde passages deden geen recht aan de gevoelswaarde van de oorspronkelijke formulering. Of de muzikaliteit, de poëzie ontbrak in de vertaling, waar die in het origineel wel aanwezig was. Die vertalingen werden dan wel door toneelgezelschappen gebruikt! Dus vertaalde ik de stukken vaak opnieuw, wat natuurlijk het voordeel heeft dat je een stuk erg goed leert kennen.

Gelukkig worden er soms ook erg mooie voorstellingen gemaakt, die mij diep ontroeren door hun oprechtheid en eenvoud, of voorstellingen waarbij ik vreselijk kan lachen, waarbij ik van de acteurs kan houden.

Natuurlijk worden er ook bijzonder veel oninteressante muziekuitvoeringen gegeven. De klassieke muzikant is niet heilig. De vijf procent artisticiteit waarover ik het had, die de muziek boven de techniek moet uittillen, behoort niet tot ieders bagage. Of men doet mee aan één van de modegrillen, zoals haasten. Gehaaste muziek is vreselijk. Muziek mag nooit gehaast zijn, want dan is het geen muziek meer. Zelfs wanneer de componist woorden als snel of zeer snel bij een deel heeft gezet, wil dat nog niet zeggen dat men moet haasten. Dat is iets anders. Soms worden ook aanwijzingen als vrolijk of opgewekt verkeerd geïnterpreteerd, namelijk als snel. Dat is jammer.

De 'barokmuziek' is sedert tientallen jaren nog het meest slachtoffer van modegrillen, die de vorm hebben aangenomen van een religie met strenge regels, waarbinnen de gelovigen zich uitputten om ieder voor zich zo zuiver mogelijk in de leer te zijn. Voor mijn gevoel een calvinistisch aandoende religie. Ik heb nog opnames van feestelijke, aardse Vivaldi muziek, een jaar of dertig geleden gespeeld door de groep I Musici. Nou, kom daar nog maar es om. Diezelfde muziek mag nu alleen nog op 'authentieke' instrumenten en op een 'authentieke' *manier* gespeeld worden, een *manier* waar alle aardse levendigheid uit is weg gezeefd. Met een zuinigheid waarbij ik bij het horen van de eerste maat al een ijzeren band om m'n borst voel zitten die mij het ademen belet. Veel toonloos, klankloos, vreugdeloos gepiep (vooral door de violen), versierd met uitglijers die mij altijd doen denken aan iemand die achter een stoel leert schaatsen en toch voortdurend valt. En ter compensatie speelt men zo nu en dan een deel zo absurd snel, dat ook op die manier de kans dat het nog eens muziek wordt, bij voorbaat verkeken is. Dat snelle is de ultieme truc om te trachten de afwezigheid van het hart te verbloemen en ondertussen te epateren met quasi virtuositeit. Het verbaast mij dat al die 'barokmuziekspecialisten' slaafs deze strenge modegrillen trachten te volgen, die ooit eens bedacht zijn door een meneer die blijkbaar authentieke geluidsopnames in de kast heeft staan van twee of drie eeuwen geleden en die daardoor zeker weet dat de muziek van al die honderden componisten eeuwenlang en door iedereen in Europa op dezelfde aanstellerige manier werd uitgevoerd. Blijkbaar bestonden er toen alleen aanstellerige muzikanten. Onzin natuurlijk.

Francine van der Heijden (sopraan) in de studio, bij de opnames van mijn Judith Wright liederen.

Veel zangers (is mij opgevallen) verdienen zo goed hun brood in de praktijk van de barokmuziek, dat zij niet meer in staat zijn een recht voor z'n raap romantisch lied te zingen zonder daar bepaalde gewoontes uit de barokmuziekpraktijk in mee te nemen, zoals kale tonen, zwiepers, uitglijers en het benadrukken van stomme lettergrepen.

Nou heb ik niets tegen authentieke instrumenten, want alle instrumenten zijn authentiek, ook de moderne piano en de moderne viool. Speel gerust op oude of namaak oude instrumenten, maar doe niet net of de mensen die dat soort instrumenten een aantal eeuwen geleden bespeelden, geen lekkere toon durfden te maken, of geen sensualiteit in hun muziek wilden leggen, of hun hart niet in de muziek zouden leggen. Muziek is in de grond van de zaak een uiting van het hart. Wanneer het hart ontbreekt is het geen muziek. Ik heb dirigenten voor orkesten zien staan, die de uitstraling hadden van een mummie, bij wie iedere levendigheid en humor verdwenen was. Vaak kleden die dirigenten zich ook aan als een mummie, in een gitzwarte lijkwade. *Denk erom, mensen, wat wij nu gaan laten horen is SERIEUS!!!* Triest. Ook hier doet zich het verschijnsel voor dat het publiek het pikt, want 'het hoort blijkbaar zo'. Ook het publiek lijkt niet meer gewend te zijn een muzikale ervaring te toetsen aan z'n hart.

Gelukkig zitten mensen soms heerlijk muziek te maken; gelukkig zijn er ook veel muzikanten die zich niets aantrekken van modegrillen.

Het eerste jaar in Amsterdam (1983) woonde ik in de Anna Vondelstraat. Ik had nog wat spullen meegenomen vanuit Hilversum. Ik bleef daar een jaar. Deed de regie bij Sater en de regie van *De Driekante Droom*. Ondertussen werd ik sannyasin en ik volgde diverse massagecursussen. Na een jaar kon ik de huur van die verdieping niet meer betalen en ik verhuisde naar een kamertje aan de Valeriusstraat. Ik verkocht al m'n spullen, behalve m'n kleren en wat keukenspullen. En misschien had ik nog een paar boeken. Het op deze wijze schoon schip maken was me al een keer of drie eerder overkomen, en eigenlijk voelde dat altijd goed. 't Zou ook niet de laatste keer zijn. Bezittingen werken ook als een last. Ik voelde me bevrijd en begon aan een volgend leven.

Flash back. 't Was winter '61/62. In de Rotterdamse Schouwburg trad Jacques Brel op. Eerst een voorprogramma van de een of andere groep die ik vergeten ben. Toen Jacques Brel. Er zat een handjevol toeschouwers. Blijkbaar was hij nog zo goed als onbekend. Ik zat op de eerste rij. Ruim een uur lang, zonder onderbreking, begeleid door drie of vier muzikanten, liet Brel z'n liedjes horen, op de totale manier die later iedereen van hem kende, totaal betrokken bij alles wat hij met z'n liedjes wilde zeggen. Fenomenaal was 't. Zoiets had ik nog nooit gezien en gehoord. Ik denk niet dat ik alles begreep of verstond van wat hij zong. Dat gaf niets. Er stond daar een uitzonderlijk mens z'n hart met ons te delen. En tegelijk die vreemde, onmiskenbare afgrond in zijn wezen, van waaruit, voor mijn gevoel, zijn liedjes opborrelden. *# 1*

Na Sater en *De Driekante Droom* kwam ik in volstrekte onbeduidendheid terecht bij drie meiden die een jeugdtheatergroep wilden beginnen. 1985 Moet het geweest zijn.

Pari als de clown in De Kikker.

Twee van hen waren pas afgestudeerde dramadocentes, de derde, de initiatiefneemster, was geen actrice. De titel van het eerste stuk was al bedacht. Afgekort: *De Kikker*. Verder was er alleen een uiterst summier 'verhaaltje'. In een lege kamer in 't huis van een bevriend persoon hebben we één of twee keer geprobeerd via improvisaties een 'plotje' en wat dialoogjes te laten ontstaan. Dat werkte niet echt. Zoals ik al vertelde is deze werkwijze niet iets waarmee ik erg vertrouwd ben. Dus toog ik maar weer aan 't schrijven. Er ontstond een aardig toneelstuk, met een paar liedjes, en vervolgens een aardige voorstelling, waarmee we de kleintjes van de basisschool een plezier konden doen.

De financiële middelen van de groep waren nul. Het simpele decor en de simpele kleding waren uit eigen zak betaald. Maar we hadden onze SD uitkering. De SD had officieel toestemming gegeven voor ons initiatief, dus we liepen niet de kans om bestraft te worden voor onze creatieve dadendrang. Langzaamaan groeide de voorstelling. In het tweede seizoen kwam er een heuse muziektape met een volwaardige begeleiding van de liedjes, met vier of vijf synthetische instrumenten, door mij gecomponeerd en professioneel opgenomen door een kennis.

Al gauw begonnen we met het bedenken van een tweede verhaaltje voor een volgende productie. Die zouden we dan naast de eerste spelen. De titel van het tweede stuk werd *Heksenliefde*. Ik reisde met alle voorstellingen mee, van Schermerhorn tot Zierikzee en hielp met belichten en sjouwen.

Marian en Pari in De Kikker, als de koning en de clown. Amsterdam, 1986.

Aan het eind van het eerste seizoen vertrok één van de actrices. Ik bood aan de rol van de clown te gaan spelen in *De Kikker*. Men vond dat een aardig idee. Langzaamaan werd het ook wel tijd voor een zakelijk leider/ster, en er zijn er een paar geweest die zich voor korte tijd een beetje voor de groep hebben ingespannen. Wel hadden we een technicus, later een technica, die ons met de eenvoudige, steeds gehuurde apparatuur hielp. Er kwam een nieuwe dramadocente voor de vertrekkende in de plaats: Manjula.

Alles wat er bij de club gebeurde werd steeds professioneler. Uiteindelijk heeft dat bijgedragen aan het einde van het bestaan van de groep, weer een jaar later. Dat klinkt vreemd en dat is het ook.

Met veel plezier speelde ik de rol van de clown en op 't eind van de voorstelling de rol van mevrouw Pompidou. Ook Marjan speelde een dubbelrol in *De Kikker*: Tante Gelatine en de koning. Ze deed dat enig. Ik heb erg fijn met haar gespeeld en ik vond haar een lief mens. Ook de scènes die wij samen hadden in *Heksenliefde* waren fijn om te doen en van professioneel niveau. Dus was 't uiterst spijtig dat zij besloot weg te gaan aan het einde van het tweede seizoen.

Eén van de leukste scènes van *De Kikker* was de scène waarin de koning het bos intrekt, onder het zingen van een Dapper Lied, om de weggelopen Joosje te zoeken. De clown is de vriend van Joosje en samen proberen zij de koning te misleiden. Zij doen bijvoorbeeld of ze samen een draak zijn (natuurlijk trapt de koning daar in) en als de koning Joosje toch ziet staan, weet de clown hem er van te overtuigen dat dat Joosje niet is maar een lantarenpaal. Midden in 't bos. Echte commedia dell' arte was dat.

De laatste voorstelling die Marjan speelde, was *De Kikker* in Enschede, buiten, voor het theater Concordia. Manjula bestuurde de knoppen van de geluidsband bij die gelegenheid. Blijkbaar waren we zonder technicus op stap...

Inmiddels was de voorstelling *Heksenliefde* met succes in première gegaan en al regelmatig gespeeld.

Na het vertrek van Marjan kwamen er twee nieuwe mensen bij de groep, van wie de actrice, ik noem haar José, professionaliteit

Marjan, links, als aardman Grol en Pari als heks Gril in Heksenliefde. Amsterdan, 1986.

meebracht. Alle veranderingen binnen de groep en binnen de rolbezettingen van de stukken, gebeurden met instemming van de gehele groep. Van de oorspronkelijke drie speelsters was alleen nog de initiatiefneemster over - zij zou blijven meespelen in de eerste productie, *De Kikker*, en zich verder vooral wijden aan de zakelijke kant van de groep. Er begon een geheel nieuwe fase, waarin beide voorstellingen opnieuw werden ingestudeerd en mooier aangekleed, met een gedeeltelijk nieuwe cast, dus.

Aangezien de initiatiefneemster na de zomervakantie niet kwam opdagen... moest er voor haar ook een andere Joosje gevonden worden. Dat werd een meisje met wie ik ooit in Hilversum had gewerkt en die een aantal jaren op de Maastrichtse toneelschool had gezeten. Nu was er dus een complete nieuwe spelersgroep ontstaan; er werd keihard gewerkt aan beide voorstellingen. Dat ging bijzonder goed. De nieuwe Joosje-rol werd wat uitgebreid, er kwamen weer wat nieuwe vondstjes in *De Kikker* en de nieuwe actrice José speelde de koning en tante Gelatine erg leuk. Voor *Heksenliefde* kwamen prachtige nieuwe kostuums, het niveau van het spel steeg en iedereen had bij de repetities veel plezier.

In *Heksenliefde* speelden we allemaal twee of drie (deels dezelfde) rollen. Eén van de voordelen daarvan was dat een personage (bijvoorbeeld heks Gril) links af kon gaan en direct weer rechts opkomen. Bovendien gaf het ons allemaal de kans de veelzijdigheid van ons acteertalent te tonen. Zo speelde José Josefien en Oma Zorg, Manjula speelde Prinses Liflaf en Heks Gril, de nieuwe acteur (laat ik hem Piet noemen) speelde Grol en Golf en ikzelf Grol, Gril en Oma Zorg. Er waren twee goede geluidsbanden gemaakt, met de begeleiding van de liedjes en allerlei natuurgeluiden: storm, wind, regen, huilende wolven en een kerkklok die twaalf sloeg.

Ik herinner me twee voorstellingen op één middag van *Heksenliefde* in het Ostadetheater, resp. voor de onderbouw en de bovenbouw van een basisschool. Beide groepen waardeerden de voorstelling even veel, maar op een totaal verschillende manier. En ik herinner me *De Kikker* in De Melkweg, nadat 's morgens bleek dat het geplande *Heksenliefde* er niet kon staan... Het werd één van onze leukste voorstellingen.

Het zag er naar uit dat er in het land interesse ontstond voor onze producties in een wat aardiger circuit dan de allersimpelste buurthuizen en school aula'tjes. Als schrijver van de stukken en regisseur van beide producties hield ik me het recht voor om te proberen, indien nodig, hier en daar passages in te korten. Dit werd door de José en Piet als één van de argumenten gebruikt om een steeds heftiger wordende hetze tegen mij te beginnen. Er werd mij verteld dat er niets deugde van wat ik tot dan toe bij de groep had gedaan en dat ik vooral een verachtelijk persoon was. De *door mij* geregelde vergadering ten huize van de nieuwste zakelijk leider (waarbij plotseling, na drie of vier maanden afwezigheid de verloren gewaande initiatiefneemster weer opdook...) werd een voortzetting van de genoemde hetze. Ik begreep er totaal niets van. Maar er bleef mij niets anders over dan de eer aan mezelf te houden en te vertrekken, met meenemen van beide door mij geschreven toneelstukken. Manjula vertrok met mij.

De groep hield op te bestaan. Een geslaagde zelfmoordpoging van de twee nieuw aangestelde spelers José en Piet, wellicht achter de

Manjula (links) als prinses Liflaf en Marjan als aardman Grol in Heksenliefde.

schermen aangemoedigd door de verloren gewaande maar teruggekeerde initiatiefneemster. *'t Kan verkeren*, schreef Bredero onder al zijn werken.

Manjula en ik vroegen ons natuurlijk af wat de ware oorzaken waren van de buitenissig agressieve houding van José en Piet, en in hun kielzog de anderen, jawel... Wie weet speelde mee het feit dat wij (Manjula en ik) goed met elkaar konden opschieten en dat Manjula bovendien regelmatig naar dezelfde meditaties ging als ik, en dat zij zelfs sannyasin werd, wat wellicht gevoeld werd als een uiterst bedreigende ontwikkeling... Een mens zoekt naar de achtergronden van pijnlijke situaties, nietwaar? En misschien is het voor sommigen moeilijk te verkroppen dat iemand bij een toneelgroepje zowel acteur als regisseur, schrijver en componist kan zijn.

Om wat bij te verdienen hadden Manjula en ik een paar schoonmaakbaantjes. Zo kwamen we één maal per week het huis schoonmaken van een psychiater annex vrouwenarts. Gelukkig in zijn afwezigheid. Het was het goorste huis dat ik ooit gezien heb. Iedere week opnieuw. Iedere week kostte het ons een hele ochtend om alleen al de keuken er normaal te laten uitzien. In zijn slaapkamer kwamen we liever niet, behalve om rond het bed te stofzuigen, nadat we de vuile kleren op een hoop hadden gegooid. Psychiater en vrouwenarts, was de man. Je zal er maar door behandeld worden.

Ik woonde al een paar jaar in een flatje aan de Wittestraat in Amsterdam. Nadat Manjula een jaar bij ons toneelclubje speelde, kwam er een zeer strenge winter. Alle leidingen bevroren op het zolderverdiepinkje aan de Haarlemmerdijk waar zij woonde, met haar zwarte Friese Stabij hondje Bobby. Ze trok dus bij mij in en sliep op een dun matrasje in mijn bescheiden maar wel warme éénkamerflatje. We hadden toch al een relatie, dus wat gaf het. Ze is niet meer teruggekeerd naar haar verdiepinkje, behalve om er wat spullen weg te halen en ergens te laten opslaan. Na het onverwachte, onbegrijpelijke en ontluisterende einde van een stuk Amsterdams theaterleven waarin ik zoveel energie, creativiteit en liefde had gestoken, besloten wij in december '87 naar Rozendaal te verhuizen, bij Velp, waar wij een huis konden huren van een bejaarde vriendin, aan de rand van het bos, voor een periode van een jaar.

 # 1 In 2003 zag ik tot mijn immense vreugde de schitterende voorstelling *In de schaduw van Brel,* met Rob van de Meeberg en Vera Mann. Een uitzonderlijk krachtig en liefdevol eerbetoon aan de Belgische chansonnier. Op de foto: Rob van de Meeberg.

DE KONING DIE NIET DOOD KON
Vierde acte - scène 7
De avond van dezelfde dag.
Het tuinhuisje in de kasteeltuin.

Het is donker. Met een petroleumlamp bij zich komen de meid en de hofnar aangelopen. Ze zijn dik aangekleed. Ze openden de deur van het tuinhuis (wat niet zo gemakkelijk gaat) en gaan er binnen. In de verte horen we stemmen. De meid en de hofnar staan wat onwennig in het tuinhuis rond te kijken.

Meid *(na een stilte)*: Goed hier?
Nar: Ik denk 't. *(Ze staan nog.)*
Meid: Muf.
Nar: Ja.
Meid: Dan maar open laten.
Nar: Ja.
Hij gaat op het bankje zitten. Kleine stilte. De meid gaat naast hem zitten.
Nar: 't Zal zo wel beginnen.
Meid: Ja. *(kleine stilte)* Als 't maar niet teveel lawaai maakt.
Nar: Hier niet, denk ik.
Een stilte. We horen steeds de stemmen in de verte, van mensen die het vuurwerk gaan afsteken, of van mensen uit het dorp, die voor het kasteel staan te wachten.
Nar: 't Moet geverfd, in 't voorjaar.
Meid: Ja. Vragen we Klaas toch. 't Kasteel is bijna klaar.
Nar: Ja. *(kleine stilte)*
Meid: Veel mensen, zag ik.
Nar: Ja. Hij is geliefd.
Meid: Ja. Ook voor Ada. Ze komen ook voor Ada. Denk ik.
Nar: Ja... Ja, dat denk ik ook.
Meid: Zo kort na het feest.
Nar: Ja. Ze is flink.
Meid: Ze heeft nog helemaal niet gehuild.
Nar: Komt nog wel. *(een stilte)* Siem is er ook.

Meid: Ja. Gelukkig. En Evert, zag ik.
Nar: Ja. Die helpt met het vuurwerk.
Meid: O. Dat is aardig. *(kleine stilte)* Hij was dol op de koning.
Nar: Je zag hem niet zo veel.
Meid: Nee. Wij niet. De koning wel.
Nar: Ja. Iedere week. Dat wij dat niet wisten...! *(kleine stilte)*
We horen nu 't geluid van een vuurpijl, misschien twee of drie, en even later is er een felgekleurd licht. We horen ook de bewonderende reacties van de mensen.
Meid: Ze beginnen.
Nar: Vuurpijlen.
Meid: Ze staan op het dak. Maar goed dat 't weer gemaakt is.
Een stilte. Gedurende de nu volgende dialoog horen we met enige regelmaat de geluiden van het vuurwerk, en zien we de weerkaatsing van de gekleurde lichten op de gezichten van de nar en de meid. Zo nu en dan verstaan ze elkaar niet en moeten ze een enkel woord herhalen.
Meid: Geertje was ook zestien.
Nar: Toen ze wegging, ja. *(kleine stilte)* Rare meid. *(kleine stilte)* Ik wist niet dat ze ongelukkig was.
Meid: Was ze dat?
Nar: Waarom zou ze anders zijn weggegaan, zomaar, zonder iets te zeggen?
Meid: Zin in avontuur. *(kleine stilte)*
Nar: Ik zat hier vaak met haar. Verstopten we ons. Als jij ons zocht...
Meid: Ja...
Nar: En jij maar doen of je ons niet zag. Kort voordat ze verdween zaten we hier ook. Geertje en ik. Ze was heel stil die dag. 't Was zomer, laat in de zomer. Er lagen al bladeren op het gras. 't Was nog warm. We liepen over 't gras, ze had m'n hand vastgepakt en ze bracht me hierheen. Laten we even gaan zitten, nar, zei ze. Zo noemde ze me: nar. Ze wist niet... Natuurlijk niet, ze was een vondeling. Vertel me een verhaal, nar, vroeg ze. En dat deed ik. Denk ik. Ik weet 't niet meer. Ik weet wel dat ze erg stil was. Ineens vroeg ze: Zou jij willen weten wie je moeder is? Als je 't niet wist, bedoel ik?

Ik zei: Ik weet het niet... Ik bedoel, ik wéét wie m'n moeder was... Ja, ik denk 't wel, ik denk wel dat ik 't zou willen weten... Ik vond 't verschrikkelijk, 't niet te mogen zeggen. *(stilte)* Waarom zou ze nooit teruggekomen zijn? *(stilte)*

Meid: Ik weet nog... Ze was vier, denk ik. We zaten in de keuken. Ze had een soort paardje. Bruin. Met wielen. Daar zat ze op. Ineens vroeg ze: Waarom heeft de koning geen koningin? De koningin is dood, zei ik, vroeger was er wel een koningin. O, zei ze, hoe kwam dat? Toen heb ik haar verteld over Adelaïde, en van het ongeluk. Even later vroeg ze: Waarom neemt de koning geen nieuwe koningin? Ik zei: Dat vindt ie zeker niet nodig. Ze dacht even na en toen zei ze: Misschien word ik later wel de koningin, als de koning ook dood is. Ja, dat zou grappig zijn, zei ik. *(een stilte)*

Nar: Ze leek wel op Adelaïde.

Meid: Alleen was ze donker. D'r haar. Zoals jij vroeger.

Nar: Ja. Ada is weer blond. *(een stilte)* 't Was kort voor haar verjaardag. Ze zat op het witte bankje, dat er nu nog is. Nar, zei ze, kom es naast me zitten. Ik deed dat nooit. Niet in 't openbaar. Er is niemand die ons ziet, zei ze. En ik ging naast haar zitten. Ze keek me aan. Ze had grote blauwe ogen, Adelaïde, weet je nog? Ze keek me aan met een stout plan in haar ogen, zo leek het. Ik vroeg: Majesteit? Een geheim, zei ze, ik fluister het in je oor. Ze was heel dicht bij me. Ze rook naar rozen. Ik luisterde. Volgende week ben ik jarig, zei ze. Ik zei: Dat weet ik, majesteit. Ze zei: Ik wil een cadeau. Ik zei: U zegt maar wat u wilt hebben, majesteit. Ze zei: Ik wil een vijver! Die hebben we toen gemaakt, weet je nog? Precies zoals zij hem wou hebben.

Meid: Ja...

Nar: Maar ze ging nog verder. Ze zei: Nu 't geheim. Ik geef jou ook een cadeau. Ik geef je een kind. Ik schrok me wezenloos. *(een stilte)* De koning vond de vijver mooi. Toen ie terugkwam. Mooi, zei hij, wie heeft dat bedacht? Adelaïde, majesteit, de koningin, in 't voorjaar, ze vroeg het als een geschenk voor haar verjaardag. Dat was de waarheid. *(een stilte)* Hij zat er vaak, later, bij de vijver. *(een stilte)*

Meid: ‘t Is een mooi vuurwerk.

Nar: ‘t Valt wel mee, ‘t lawaai, vind je niet?

Meid: ‘t Zal niet zo lang meer duren, denk ik. (kleine stilte) Rare man. Wie wil er nou vuurwerk? Zo dadelijk maak ik chocola. ‘t Is koud. Ze zullen wel verkleumd zijn. *(kleine stilte)*

Nar: Alles gaat gewoon door.

Meid: Ja.

Nar: ‘t Is haast of ze niet is weggeweest, Ada. *(Blijkbaar worden Ada en Geertje in de gedachten van de Nar één persoon. De Meid laat het gaan...)*

Straks is het weer voorjaar. Loop ik weer met Ada over ‘t gras. Vertel een verhaal, nar, vraagt ze dan. *(kleine stilte)* Gelukkig heb ik geen geheimen meer.

Meid *(zacht)*: Ja, dat scheelt. *(kleine stilte)* Gaan we naar binnen?

Nar: Nog even.

Ze zwijgen. Het vuurwerk is nog aan de gang.

Doek.

Einde van scène IV - 7

Tevens einde van het toneelstuk:

DE KONING DIE NIET DOOD KON.

Hoofdstuk 12 - Stilte

Rozendaal was het paradijs. Eindelijk rust. Iedere dag wandelden wij het bos in en ik bracht het op om ook weer voorzichtig eenmaal per week hard te lopen. Negen en veertig jaren jong was ik. Het is altijd spannend om nieuwe stukken bos te leren kennen. Er zijn bomen en paden die je al gauw het meest dierbaar zijn. In Velp was een man, Meneer Kraay, die koetspaarden had, waar ook op gereden mocht worden. Manjula deed dat. Op Garfunkel vooral.

Manjula en Elsie op Victor en Garfunkel, bij ons tijdelijke paradijshuis in Rozendaal. 1988.

Een grote bruine ruin die in 't bos rijden erg opwindend vond, vergeleken met z'n normale werk voor de koets. Hij liep altijd naast Victor, voor de koets, en dan was Victor de baas. Dat straalde Victor ook uit. Ook m'n dochter Elsie kwam zo nu en dan rijden. Manjula en Elsie werden paardenvriendinnen.

Zeven jaar later, bij ons tweede verblijf in Australië (1994/'95) is Elsie vijf weken bij ons geweest. Juist in die tijd (negen maanden lang) zorgde Manjula voor een viertal paarden op het gigantische stuk land aan de overkant van de weg, onder aan de heuvel, aansluitend aan het natuurgebied, dat weer grensde aan de zee. Vanaf onze heuvel hadden wij uitzicht op zee. Onder aan de heuvel was de *shed*, de *dam* en de *paddock*, waar de paarden verzorgd werden. Een *dam* is een grote drinkplaats voor de paarden of koeien, een soort grote vijver, die vaak vol water blijft door een natuurlijke bron.

Met Elsie maakte ik een lange voettocht door het regenwoud. Op een bloedhete dag. Maar in ‘t regenwoud was het koel. We klommen de zeer steile bedding op van een vrijwel droog liggende beek, of rivier. Zwerfkeien van soms metershoog. Uiteindelijk kwamen we bij de voet van een honderd meter hoge waterval. Een soort prehistorische plek. Daar hebben we gezwommen.

De waterval "Protesters Falls", midden in het regenwoud. Het droge seizoen. Pari onder een dunne straal. December 1994.

Met Manjula erbij maakten we een andere tocht, ook door een regenwoud. Tegen de Mount Warning op. Na een uur klimmen moesten we wel terug. Anders was Manjula nooit meer beneden gekomen.

Het was verbazingwekkend dat Manjula ‘t zware werk met paarden weer aankon, en vooral: er op rijden. Zij was een van de eersten die op het jonge paard Smokey reed. Bij ons laatste verblijf in Australië, verleden jaar (1999), zagen we Smokey nog even, in een weiland niet ver van waar we deze keer woonden. Hij is verkocht aan iemand die wij goed kennen, en als ze zou willen zou Manjula wel weer op hem mogen rijden. Maar sinds haar laatste operatie durft ze dat niet meer.

Ons huis in Rozendaal werd *Champa* genoemd. Een India's woord voor bloem of bloemenveld. We kregen nogal wat nieuwe vrienden en ik herinner me een lange wandeling in een besneeuwd bos. Ik maakte veel foto's van bepaalde plekken in 't bos, met het wisselen van de seizoenen.

Manjula bij "haar" boom in het Rozendaalse bos.

Toch konden wij 't niet laten om te kijken of er in Arnhem niet behoefte was aan een nieuw jeugdtheatergezelschap. Natuurlijk vonden wij van wel en we richtten de stichting *Het Mysterietheater* op...

De eigenares van het huis kwam na vijf maanden weer terug in Nederland, in mei '88. Ze was ziek geworden op haar wereldreis, dus of we maar weg wilden wezen. We konden terecht op een zolder in Velp, bij een vriendin. Met rode letters plakte ik *Champa on the road* op het achterruitje van onze rode 2CV.

Die zomer pasten we op een boerderij in Markelo, waar ook een grote, jonge en ongehoorzame bouvier was. De oude deel had aan de zijkant lage balken. Als je daar naar het toilet ging moest je bukken. Manjula stootte daar een keer hard haar hoofd. Toen een jaar later zich de tumor openbaarde vroeg een vriendin die Manjula veel heeft geholpen tijdens haar ziekte, of ze een tijd daarvoor wel eens hard haar hoofd had gestoten. Zij had dat 'gezien' en dacht dat die gebeurtenis het ontstaan van de tumor misschien heeft helpen op gang brengen.

Na een paar maanden Velp woonden we nog een half jaar in de Sweerts de Landasstraat in Arnhem en daarna precies een jaar boven een garage in de Anthonielaan. Ik herinner me de winter. Als 't bos te koud of te ver weg was, wandelden we naar Sonsbeek. Slechts een paar honderd meter weg. Daar stond een patatkraam, langs de Apeldoornse weg. Met een warm patatje Sonsbeek in, in de schemer, in de kou. Zo herinner ik me die avonden.

Ik vond dat ik moest proberen iets meer te verdienen dan de minimum uitkering die de SD mij verschafte. Het Mysterietheater was een miskraam geworden en bij toneel en TV kreeg ik geen werk meer. Waarom niet buschauffeur? dacht ik. De busmaatschappij vond me niet te oud, ik deed allerlei testen en reed proef in Apeldoorn. Dat ging allemaal goed. Op hun kosten zou ik m'n rijexamen voor de bus doen en in eerste instantie kon ik als chauffeur in dienst komen in Almere. Niet ideaal natuurlijk; we bedachten dat we dan maar moesten verhuizen. Ik kende Almere een beetje door mijn regie aldaar, een paar jaar eerder. De bussen rijden daar over 'busbanen', niet zo interessant dus, maar misschien wel handig voor een beginner. Ik had ook een gesprekje met een busbaas in die stad. Hij vroeg of ik wel opgewassen zou zijn tegen de zo nu en dan voorkomende agressie tegen de buschauffeur. Ik weet niet wat ik geantwoord heb.

Al met al was het plaatje van onze aanstaande situatie niet zo aantrekkelijk, vergeleken met de vrijheid die wij hadden in Arnhem, de ruimte om dagelijks in de bossen te zijn. En dat ter wille van een paar centen meer en het 'er bij horen' in de maatschappij. Was het mijn oude braafheid die mij parten speelde, of het gevoel steeds meer geïsoleerd te raken met ons tweetjes, of de eeuwige financiële nood, of het immer knagende verdriet over het besef onterecht uitgerangeerd te zijn in het vak dat mij altijd zo dierbaar was? Het nieuwe plaatje ging niet door. In november '89 liet ik de busmaatschappij weten dat ik niet beschikbaar zou zijn, aangezien ik voorlopig m'n handen vol zou hebben als verzorger van mijn geliefde, mits zij de operatie zou overleven.

Manjula en Pari in park Sonsbeek, voorjaar 1989.

Eind '88 begon Manjula vreemde klachten te krijgen in de rechterhelft van haar lichaam. Eerst in haar hand, toen de hele arm en schouder, toen de benen. We gingen al die tijd bijna dagelijks naar het Rozendaalse bos, maar het fietsen tegen de heuvels op ging steeds moeizamer. De geraadpleegde huisarts vond 't allemaal niet zo ernstig en vond 't niet nodig haar door te sturen naar een specialist. Manjula kon in die tijd rijden op een paardje van een kennis, in het bos van Warnsborn. Ik was daar altijd bij, ging dan wandelen en zorgde dat ik haar ergens op haar route tegen kwam. Ik heb nog een foto van drie weken voor haar hersenbloeding, zij op het paardje Aroba, in galop over de hei. Ze had geen kracht meer in haar rechterbeen en donderde er dus bijna af.

Er was een pad in dat bos dat was omzoomd met krentenboompjes, waarvan de bladeren in de herfst van groen naar geel naar rood kleuren, iets eerder dan de beuken en de eiken. Het pad was een paar honderd meter lang. Die herfst liep ik door een gouden tunnel. Drie weken later fotografeerde ik de laatste gouden bladeren in de zon aan Manjula's beuk. Manjula lag in coma in het ziekenhuis. Deze foto's hangen vergroot in ons huis, langs de trap. We hadden ze ook mee naar Australië, zes jaar geleden, tijdens ons tweede verblijf daar.

Achter het hotel Warnsborn zijn een paar grote vijvers. Pas uit Indonesië terug heb ik geprobeerd op die vijvers te schaatsen. Ik was negen jaar. Voor 't eerst zag ik zo'n bevroren waterplas. Vanuit ons huis op de Hoogkamp, in de Breitnerstraat, wandelden wij op zondag altijd naar het bos van Warnsborn. Je hoefde de Schelmse weg maar over te steken. Het hele gezin - pa, ma, m'n twee zussen, ik en m'n broertje in 't wandelwagentje. Hij was nog net in Indonesië geboren.

Midden in Frankrijk met de tent. Regen regen regen en een regenboog...

Aan 't eind van de Bakenbergseweg, waar 't echte bos begint, is ook een kleine stille, idyllische camping. Nog steeds. Aan 't begin van onze laatste tocht naar Frankrijk, twee jaar geleden, hebben Manjula en ik daar een dag of vier gestaan, met de tent. Eind april was 't en nog knap koud. We zijn weer twee maanden door Frankrijk getrokken. Hadden bijna voortdurend regen. We hadden 't gevoel dat we nog iets moesten afmaken, van drie jaar daarvóór. Overal waar we kwamen, meest bij biologische boeren, waren we zo'n beetje de eerste kampeerders. Eindelijk es nachtegalen gehoord! Ook waren we weer in de buurt van Massat, in de Pyreneeën. Op een prachtig stuk grond van een vriend stonden we, onderaan een heuvel. De zon scheen toen we aankwamen. Toch zijn we er weg geregend. Uiteindelijk kozen we voor de Nederlandse camping bij Monpazier, het Dordognegebied. Ook daar waren we de eersten. Die twee weken scheen de zon.

Pari in de schaduw van de markthal op het mooie binnenplein van Monpazier.

Monpazier is een romantisch dorp, met een leuk besloten marktplein. We waren al eerder in Monpazier, precies tien jaar eerder, vlak voor Manjula's ziekte, en ook twee jaar daarvoor. Beide keren met een groep vrienden, met wie we een groot huis hadden gehuurd. Zo'n vijftien mensen bij elkaar, een leuk experiment. De eerste van die twee keer woonden we nog in Amsterdam. Dat was na de ineenstorting van het jeugdtheaterclubje. Op een middag regende het. Bij boer Coujou zaten we, ergens in het zuiden van de Dordogne. Manjula en ik hebben een uur achter elkaar in de regen en de modder gedanst en gezongen en gesprongen en geschreeuwd op de helling naast het huis. Een mooie *nataraj*.

Drie weken waren we terug in Amsterdam. Toen zijn we weer gegaan, we kwamen weer bij boer Coujou terecht, nadat we eerst een week pruimen hadden geraapt, wat zuidelijker. Soms zaten we bij Coujou een wijntje te drinken, in zijn keuken. Zijn eigen wijn natuurlijk. Met z'n vrouw en z'n oude moeder. De oude moeder had iets van een engel. Ze was een beetje doorzichtig. Haar enige bezigheid was vliegen doodslaan op de keukentafel, met een plastic vliegenmepper. Ze leeft vast niet meer.

Van de Breitnerstraat fietste ik iedere dag naar de school aan de Dalweg. Die school is er nog. Het hoofd van de school, meneer Kaspers, had voor de oorlog mijn moeder al als leerling gehad. Aan het eind van de week speelde hij viool. Dan kwamen de muizen luisteren. Je hoorde ze ritselen op het plafond. Hij gaf ons ook Engelse les, meneer Kaspers. In het kader daarvan stampte hij ons het lied *Onward Christian Soldiers...* in, *...marching as to war!* Op maandagochtend moest je een psalm kennen. Dat kon ik goed, uit 't hoofd leren. Fonetisch. Meestal had ik geen idee van de betekenis. *Geduchte heer der legerscharen...* en *Een stroom van ongerechtigheden had d'overhand op mij...* Het is een wonder dat ik op dertienjarige leeftijd heel goed begreep dat ik niet in zonde was geboren maar, als het goed is, uit liefde. Dat ik me de loden last van 'erfzonde' niet hoefde laten opdringen.

Eén maal per jaar, op Koninginnedag (was dat al Juliana?) marcheerden we met de hele school de Apeldoornseweg af, richting de markt. Op de een of andere verhoging stond daar een meneer die de koningin vertegenwoordigde, want ze was er nooit zelf. Dat vond ik dus maar nep. Iedere school werd op z'n eigen plek neergezet en dan moest er gezongen worden. Blijkbaar hadden alle scholen dezelfde liederen ingestudeerd. Vast ook wel de twee bekende coupletten uit ons volkslied, waarin wij merkwaardigerwijs (als kind vond ik dat al vreemd) ons Duitse bloed en de Spaanse koning verheerlijken. Nou ja, er was wel meer wat ik niet begreep. En dan op een teken met vlaggetjes zwaaien. Bij die massabijeenkomsten raakte ik altijd in een soort verdoving. Alsof ik er niet echt bij was.

Een lied over Gelderland ben ik niet vergeten. Iedere gelegenheid tot chauvinisme wordt op deze aardbol aangegrepen. Hier komt ie: *Gelders dreven zijn de mooiste in ons dierbaar Nederland, vette klei en heidegronden, beken, bos en heuvelland. Ginds de Waal, daar weer de IJssel, dan de Maas en ook de Rijn. Gelderland, je bent de paaaaRUL van ons Hollands koninkrijk (2x).* Dat laatste rijmde niet en dat vond ik maar dom. De rul van parel was het luide hoogtepunt van het lied.

Eén maal per week hadden we zwemles. Met een paar klassen marcheerden we naar het sportfondsenbad, de Hommelseweg af.

Omdat ik dat langzame geloop ontzettend saai vond, had ik permissie gevraagd en gekregen om tien minuten later te vertrekken. Dan kon ik hollend achter de meute aan, Heerlijk vond ik dat.

Om van ons huis bij school te komen moest je om Sonsbeek heen, of er doorheen. Als we met een groepje waren, vooral na school, gingen we vaak dwars door Sonsbeek heen. Want Sonsbeek is mooi en romantisch. Langs de belvédère en het ronde speelveld, langs de heuvels waar we 's winters afroetsjten met de slee, onder de hoge beukenbomen, langs de grote vijver en over de waterval...

De winters waren nieuw voor mij. We hadden nog bijna geen kleren. We hadden niets, toen we uit Indonesië in Nederland kwamen. We kregen wat van het Rode Kruis. Ik liep in een afschuwelijk lelijke niet gevoerde jas, die eerste winter. En in een korte broek. Op een morgen fietste ik om Sonsbeek heen naar school, in m'n korte broek. 't Vroor een graad of twaalf. Halverwege kon ik niet verder. Heb hevig staan huilen. Bij dat lange stuk langs de weilanden, waarachter de mooie beukenbomen staan. Hoe ik toch nog op school gekomen ben weet ik niet meer. Misschien had ik me warm gehuild...

Vanaf ons huis moest je eerst de Heemstralaan af fietsen, om bij Sonsbeek te komen. Een eindeloos lange helling. Prachtig. Op een keer was 't glad. Ik moest helemaal links van de weg gaan rijden omdat er een verhuiswagen dwars over de weg stond. Daar was de weg erg schuin. M'n fiets slipte en ik viel. Op school voelde ik me ziek worden. Ik vertelde de meester dat ik was gevallen. Ga maar naar huis, zei hij. Hij liet me 't hele eind naar huis lopen, met m'n fiets aan de hand en met een zware hersenschudding. Toch wel een uur lopen, denk ik. Thuis kreeg ik arnica pilletjes. Die hielpen. En ik mocht een paar dagen thuis blijven.

Een keer lag ik met een dubbele oorontsteking thuis in bed. Dat deed erge pijn. Elsie had 't als baby. We zijn toen direct naar het ziekenhuis in Utrecht gegaan, vanuit Vinkeveen. De arts prikte haar trommelvliezen door, zodat de pus er uit kon. Daarbij droeg ik Elsie stevig tegen me aan, staande. Haar pijn was direct weg. Toen ik daar lag, in de Breitnerstraat, moest ik van de dokter in een soort stofzuiger-slang ademen, voordat hij ging doorprikken. Voor meer zuurstof of zo, of juist minder. Ik begreep er niets van, hij legde 't niet uit. Het hielp geen bal, die stofzuigerslang. Ik herinner me de pijn van de prik rechts en de prik links. Ik herinner me ook de hand van m'n moeder, strelend over m'n voorhoofd. En ik weet nog goed dat ik dacht: daar heb ik wel een dubbele oorontsteking voor over, voor die strelende hand. Mijn moeder was niet zo aanrakerig. Jongetje van tien.

Op de lagere school was ik ook al een paar keer verliefd. De eerste geliefde heette Marga en de tweede Marjolijn. Ik weet nog dat Marjolijn een keer vóór me naar huis fietste. We waren met ons vijven, of zo. Ze fietste voor me, rechts naast een vriendin. Haar linkerhand los. Die hand kwam een beetje onder de mouw van haar jas uit. Ik vond dat mateloos ontroerend, die hand van Marjolijn, achteloos loshangend, nog net zichtbaar onder de mouw van haar jas. Dit zijn de belangrijke dingen van het leven, denk ik. Waarom zou je je ze anders herinneren? 't Was vlak voor de kruising van de Zypendaalseweg en de Heemstralaan. Marjolijn was bijna thuis. Ik moest nog een heel eind.

De Heemstralaan was niet het steilst. De Kluizeweg, langs de verre kant van Sonsbeek, was nog steiler. Korter, maar veel steiler dan de Heemstralaan. Je kon daar heerlijk afracen met de fiets. Op een dag, het was mooi weer na school, en warm, leek het me een aardig idee om de heerlijke afdaling nog prettiger te maken door m'n ogen dicht te doen. Dat was inderdaad aangenaam. Totdat ik tegen de stoeprand aanreed, wat ik niet kon voorkomen, want ik had m'n ogen dicht. Ik viel dus, met grote snelheid, en ik had een gat in m'n kop. Maar m'n fiets was nog heel en ik kon toch naar huis fietsen. Precies veertig jaar later fietste ik daar weer. Bij de Dalweg de Apeldoornseweg oversteken en de Kluizeweg af. Met open ogen. Een paar keer per dag. Maar onder aan de Kluizeweg rechtdoor, niet linksaf. Rechtdoor naar het ziekenhuis, waar Manjula in coma lag.

't Was een mooie herfst. Ik versierde haar kamer met veel herfstbladeren. De verpleegsters vonden alles goed. Toen ze uit haar coma kwam, was ze een paar dagen in een soort tussengebied, waarvan ze zich niets meer herinnert. Ze herkende iedereen die de kamer in kwam, zonder bril op. Dat hoort onmogelijk te zijn, met links en rechts min 9. En dan vertelde ze verhalen. Gaf iedereen advies. Meestal een komisch advies. Haar drie broers en zus en haar ouders. Eén van haar broers moest maar eens een ezel nemen, vond ze. Iedereen weende veel tranen en bleek van haar te houden.

Ik was ook bij de welpen. Ons honk, of hol, of troephuis, of hoe dat heet, was ook vlakbij Sonsbeek, bij de knik van de Parkweg, in 't bos. Van daar uit gingen we de bossen in. Tot aan de snelweg van Ede naar Duitsland zelfs, die toen alleen nog een hoop zand was. Speurtochten en opdrachten. Ik was fanatiek. Bang om achter te blijven was ik extra goed. Ik haalde insignes, dan kreeg je iets gekleurds wat je moeder op je mouw mocht naaien. En twee sterren op je pet. Met twee sterren waren allebei je ogen open. En twee gele strepen op een mouw, als je leider was geworden van je nest. Dat was ik dus, na een tijdje, leider van m'n nest. De Coligny-groep. We hadden ook een keer een zomerkamp, met de welpen. Bij een boerderij. Een week slechts, denk ik. De hele week had ik diarree. Vlakbij de boerderij liep een spoorlijntje dat niet meer gebruikt werd. Als we iets leuks gingen doen kwamen we altijd over dat spoorlijntje. Het is een aardig spel om over de rail te lopen, je evenwicht bewaren. Als ik dat deed werd de diarree erger. Door het ijzer, dat wist ik zeker. Na een paar dagen had ik geen schoon ondergoed meer. Ten einde raad vertelde ik het de Akela, een vrouw. Ik geloof dat ze liefdevol m'n onderbroeken waste vanaf dat moment.

Ook op de middelbare school mocht ik een paar keer naar een zomerkamp. Een christelijk kamp, wel te verstaan. Ik koos beide keren voor een sportkamp. Van de eerste keer weet ik nog dat we 's nachts werden 'ontgroend' door de heren studenten die het kamp leidden. Geblinddoekt kregen we iets smerigs te eten. En van het tweede kamp is me bijgebleven dat ik vanaf de tweede dag zo'n heftige spierpijn had in m'n kuiten, van het urenlang voetballen, dat ik alle dagen erna vrijwel niets meer heb kunnen doen. We speelden een wedstrijd tegen een groep Molukse jongeren die daar blijkbaar in de buurt woonden en die voor die gelegenheid waren opgetrommeld. Dat verloren we vast, want die jongens waren steengoed. Toch maakte ik een paar mooie doelpunten. Blijkbaar was ik daar wel tevreden over en uitte ik mijn blijdschap op het veld, ondanks mijn stille natuur. Op de zondag kwam er een heuse dominee. Daar moesten we heen. Hij hield een preek en sprak z'n afkeuring uit over het egoïstische gedrag van jongelui die bij een voetbalwedstrijd een doelpunt maken en daar dan *blij* mee zijn. God wat haatte ik die man.

Later in Hilversum viel ik als ouder in bij het leiden van een welpenkamp. Andries, twee jaar ouder dan Elsie, was toen welp. De groep werd geleid door een Akela die in het dagelijkse leven verpleegster was. Ze kon dat erg goed. Ze had ook twee zoontjes als welp en dat waren de grootste kliertjes van het hele kamp. Eigenlijk de enige kliertjes. Dat was wel jammer. Waar zij waren was er ruzie met de andere jongens en werd er gevochten en gehuild. 't Was moeilijk om ze terecht te wijzen, aangezien de moeder de aardige Akela was. Zij moest dat eigenlijk zelf doen, maar dat kon ze dus niet zo goed. Mijn tijdelijke rol was Baloe. Baloe is de beer in het oorspronkelijke verhaal van het Jungleboek. Er was ook een jongetje dat 's avonds om ongeveer half twaalf nog even uit z'n bed gehaald moest worden om een plas te doen, want hij was nog erg klein. Dat mocht ik doen. Ik tilde hem dan op en droeg hem naar de plé. Nog half slapend zei hij dan: Wat bij jij sterk, Baloe... Dat vond ik leuk.

Het aardige van toneelspelen is dat je elkaar moet aankijken. Het is een van de weinige beroepen die niet uitvoerbaar zijn vanuit een volstrekt isolement.

Theater met een hart, je ziet 't nog wel. Muziek met een hart, je hoort 't nog wel.

Ik denk dat 't zinloos is om met ons theater of met onze muziek mee te doen met de kilheid van onze tijd. Die keuze zou een onvermijdelijke zelfmoord betekenen. En waarom zouden wij meedoen met de wereldwijde zelfmoord die toch al aan de gang is? Is het niet een aardiger idee daar wat tegenover te stellen? Wat hebben we te verliezen? Als we niet voor ons hart kiezen verliezen we sowieso alles. Waarom zouden we van het restje leven dat we hebben niet iets aardigs maken?

Een jaar of achttien geleden werkte ik een keer samen met Louis van Dijk, de pianist. Iets hoorspelachtigs met muziek, op een locatie in Maartensdijk. We raakten aan de praat over Glenn Gould, de Canadese pianist. Gelukkig bleek Louis een groot bewonderaar van Glenn Gould te zijn. Ik was dat ook, al jaren, maar ik had gemerkt dat er ook muzikanten waren die hem helemaal niet konden waarderen. Ik bewonder Glenn Gould zeer, niet speciaal om z'n fabelachtige techniek, maar om de 'manier' waarop hij muziek maakt. Manier is een verkeerd woord. Wat hij speelt komt uit 't diepste van z'n wezen. Als je hem zag spelen leek 't altijd alsof hij in een soort 'trance' was. Prachtig. Er bestaat een opname van hem van de Intermezzi van Brahms. Dat is pure meditatie, hoe hij dat speelt.

Onlangs zag ik tot mijn grote vreugde een fragment op TV in een uitzending over de violist Menuhin, waarin hij samen speelt met Glenn Gould. Zo onwaarschijnlijk mooi en ontroerend, die twee samen.

Soms, als ik er stil genoeg voor ben, lukt het me om muziek te schrijven. Zo heb ik de laatste tijd vrij veel Nederlandse gedichten op muziek gezet. Er bestaan erg mooie gedichten in het Nederlands. Hier is een sonnet van Willem Kloos (1859 - 1938), dat mij inspireerde om er muziek bij te maken.

LENTE-AVOND

Nauw zichtbaar wiegen, op een lichten zucht,
De witte bloesems in de scheemring, - ziet,
Hoe langs mijn venster nog, met ras gerucht,
Een enkele, al te late vogel vliedt.

En ver, daar ginds, die zacht-gekleurde lucht
Als perlemoer, waar ied're tint vervliet
In teêrheid... Rust - o, wonder-vreemd genucht!
Want alles is bij dag zóó innig niet.

Alle geluid, dat nog van verre sprak,
Verstierf - de wind, de wolken, alles gaat
Al zacht en zachter - alles wordt zoo stil...

En ik weet niet, hoe thans dit hart, zoo zwak,
Dat al zóó moê is, altijd luider slaat,
Altijd maar luider, en niet rusten wil.

Epiloog

Gesprek met een vriend.

Vriend: Wat voor gedichten zoek je uit om op muziek te zetten?
Pari: Ik heb geen theorie volgens welke ik gedichten 'selecteer'. Bij vlagen lees ik gedichten en soms blijven er een paar boven drijven die mij om de een of andere reden aanspreken. Dat kan zijn omdat ze 'ergens over gaan'. Dit lijkt een open deur omdat alle gedichten ergens over gaan, zou je zeggen. Maar dat is niet zo. Veel gedichten zijn bedenksels, meer niet. Daarmee wil ik niet zeggen dat gedichten per se ernstig moeten zijn. Ik heb ook vrolijke en zelfs uitgesproken komische gedichten op muziek gezet.
Vriend: Kun je voorbeelden noemen?
Pari: Ik componeerde een cyclus op gedichten van Paul van Ostaijen. Wel, je kunt je voorstellen dat dat geen zwaarmoedige liedjes zijn... Maar ook het lange duet *Des Zangers Min* op een gedicht van Piet Paaltjens is, behalve uiterst romantisch, ook zeer komisch. Geheel zoals het gedicht het aangeeft.

Een duidelijk voorbeeld van een stil gedicht is *Winterstilte* van Jacqueline van der Waals. Dat is één van de stilste gedichten die ooit geschreven zijn in de Nederlandse taal. Natuurlijk heb ik geprobeerd die stilte te verklanken in het lied.
Vriend: Is dat gelukt?
Pari: Ik vind van wel. Ik vind het één van mijn mooiste liederen. (stilte) Het is erg leuk om af te wisselen. Ik bedoel - om na een vrolijk lied te proberen weer een 'gevoelig' lied te schrijven, om het zo maar eens te zeggen. Het hangt ook wel van m'n stemming af, vanzelfsprekend. Ik ben nu bezig met m'n tweede cyclus op gedichten van de Australische Judith Wright. Daarin probeer ik ook de gedichten te kiezen op hun afwisseling. Dat maakt het spannend, ook in muzikaal opzicht.
Vriend: Schrijf je erg 'moderne' muziek?
Pari: Nee. Niet in de zin die jij waarschijnlijk bedoelt, namelijk: moeilijk te bevatten. Zeker niet. Ik vind dat mijn liederen prettig moeten zijn om naar te luisteren. En ook prettig om uit te voeren. Ik heb nog niet één muzikant ontmoet die het vervelend vond om prettige

muziek uit te voeren. Ik denk ook dat de tijd van de onbegrijpelijke muziek een beetje voorbij is. In elk geval heb ik daar geen affiniteit mee. Met het Groot Omroepkoor moesten wij ook wel eens zeer moderne werken uitvoeren. Alle zangers hadden daar een hekel aan. We hebben ook wel eens werken geweigerd uit te voeren, vanwege de verregaande flauwekul en willekeur. Voor een stem zijn die werken bovendien soms slecht. Ik heb ook wel meegemaakt dat de orkesten weigerden dingen te doen die de componist had voorgeschreven, bijvoorbeeld onzin uithalen met de violen. Dingen waar dat instrument niet voor is gebouwd.

Onbegrijpelijke muziek vind ik '*mind*muziek', als tegenstelling tot hartmuziek. *Mind*muziek is bedachte muziek, niet te volgen en daardoor oncontroleerbaar. Ik gebruik het Engelse woord *mind* omdat het bijna onvertaalbaar is. De beste vertaling voor *mind* zou zijn: het denken. Vandaar: bedachte muziek. Het Engelse *mind* wordt meestal vertaald met 'geest'. Dat is linke soep. Want 'geest' wordt ook in een heel andere betekenis gebruikt. Het woord geest is vaag, onduidelijk. Toch ben ik nog nooit een taalkundige tegengekomen die gewezen heeft op het tegenstrijdige en daardoor misleidende gebruik van het woord geest. Terwijl er dagelijks enorme beweringen worden geuit waarin het woord geest centraal staat. Zonder dat iemand precies weet wat er met dat woord bedoeld wordt. 'Geest' heeft zelfs iets eerbiedwaardigs, dankzij zijn onduidelijkheid. Wanneer iemand praat over 'de menselijke geest' denken wij al gauw aan iets moois, iets belangrijks en onaantastbaars. Terwijl dat begrip alleen maar zweverig is. Onduidelijke dingen zijn sowieso vaak aanleiding tot verheven ideeën bij een groot publiek. Men kan mensen misleiden met onduidelijkheid. *Mind*muziek is geen muziek. Het is geluid. En daarvan hebben we al te veel op deze aarde.

Kijk, mensen gaan niet in een concertzaal zitten luisteren om gepest te worden. Mensen hebben het recht het een paar uur naar de zin te hebben, zich prettig te voelen voor hun duur betaalde zitplaatsen. Of dat nou is met walsen van Strauss of met het Requiem van Verdi of met een ballade van Chopin. Of met liederen. Voor vervelend lawaai kunnen ze net zo goed op straat blijven lopen.

Ik wil met mijn muziek iets geven. Of misschien is delen een

beter woord. Iets van mezelf en iets van de dichter wiens tekst ik ‘leen’. En dan hoop ik dat de zanger en de pianist herkennen wat ik bedoeld heb. Meestal is dat zo. Zangers zijn gevoelige mensen. Zij hebben dat vak ook gekozen om iets van zichzelf door te geven, ook al krijgen ze daar niet bij ieder concert de kans toe. Maar met een liederenrecital loopt iedereen met z’n ziel te koop. De dichter, de componist, de zanger en de pianist. En dan gebeurt het wonder. Waarom ben ik acteur en zanger en schrijver en componist geworden? Alleen om iets te delen. Waarom zou ik anders leven? (stilte)
Vriend: Bomen.
Pari: Ja?
Vriend: Je hebt het vaak over bomen.
Pari: Ja.
Vriend: Hoe komt dat?
Pari: Bomen zijn wonderbaarlijke, mysterieuze wezens. Vaak leven ze heel lang, veel langer dan wij, wanneer we ze niet omhakken. Vind je dat niet fascinerend? Dat een boom al geplant werd in de tijd van je over-over-grootvader? Wij gaan slordig met bomen om. Bijna niemand realiseert zich de waarde van een boom. Met de minste aanleiding worden bomen omgehakt.

Zonder bomen is alles lelijk. Stel jezelf de gemeente Baarn eens voor zonder bomen. Of Arnhem. Of loop maar door een wijk zonder bomen. Vreselijk toch? Zonder bomen kunnen wij niet leven. Bomen geven schaduw. En zuurstof. En intimiteit. Waarom is lopen in een bos prettig? Bomen zijn aardig. Ze geven alleen maar. Ze zijn de meest onschuldige wezens. Als een gezonde boom wordt omgezaagd, met de snelle meedogenloze machines van tegenwoordig al helemaal, ervaar ik zelf een fysieke pijn. (stilte) De ontbossing van de aarde getuigt van de grenzeloze onbewustheid, stupiditeit, kortzichtigheid en hebzucht van de mens. Het zal onze wereldwijde zelfmoord blijken te zijn. De aarde wordt snel onbewoonbaar. Steeds meer mensen moeten opeengepakt leven in een steeds kleiner gebied. De ongecontroleerde bevolkingsgroei, nog altijd toegejuicht door onze ‘geestelijke leiders’ en door veel politieke leiders, is het tweede attribuut voor onze zelfmoord. (stilte)
Vriend: Dat waren de bomen... Ouder worden.

Pari: Ouder worden - heb ik het daar over gehad?
Vriend: Kennelijk...
Pari: Ouder worden is het moeilijkste wat bestaat. Vanaf een jaar of veertig. Voor die tijd denk je dat je heel wat bent. Je carrière (wat dat dan ook is) gaat dan nog in een opgaande lijn. Met of zonder huwelijken en scheidingen en kinderen, met of zonder baan... Er is nog hoop. Je lichaam werkt nog mee, tot op zekere hoogte. Dan gaat het bergafwaarts, eerst langzaam, dan steeds sneller. Je krijgt het stempel 'oude lul' en voor veel avonturen kom je niet meer in aanmerking. De leeftijdsgrens waarop je dat stempel krijgt verschuift trouwens steeds verder naar voren. Wanneer ik een paar minuten langs verschillende zenders op mijn goddelijke beeldbuis *zap*, zie ik dat het leven gedomineerd lijkt te worden door tieners. Vanaf je twintigste ben je niet meer interessant. Ouder worden is ook niet 'in'. Het is niet modieus. Dus gedragen we ons zo lang mogelijk 'jong'. Zie de grote affiches op de stations. Allemaal magere, sombere, uitdrukkingsloze anorexia kinderen die blijkbaar de overtuigingskracht zouden moeten bezitten om mij er toe over te halen een nog *coolere* sigaret, een nog strakkere spijkerbroek of een nog sneller mobieltje aan te schaffen. Wij leven in een wereld van schijnwaarden, van schijngeluk, van schijncultuur en van schijnwelvaart.

Toen ik een jaar of vierenveertig was bezocht ik een keer het arbeidsbureau in Amsterdam (waar ik toen woonde) om te vragen of ik me niet kon (laten) omscholen. Ik was het zat om steeds werkloos te zijn en te moeten zwoegen om de meest onbeduidende acteursbaantjes te versieren. Ik werd letterlijk weggelachen op dat bureau. Wat dacht ik wel - op mijn leeftijd!

Oudere mensen zijn vaak veel interessanter dan jonge mensen, ook nog. Ergens in dit boek heb ik het over oudere acteurs. In Engelse dramaproducties kom je vaak oudere acteurs tegen. Het lijkt er op of ze die in dat land meer (blijven) respecteren. Want dat is wat er ook gebeurt in deze maatschappij: oudere mensen tellen niet meer mee, ontvangen geen respect meer, dienen zich onzichtbaar te houden en worden op een semifatsoenlijke manier weggemoffeld in hun laatste woonhol. Er zijn ook culturen waarin de oudere mensen juist het meeste aanzien genieten. Ik denk dat dat in vroegere eeuwen hier ook wel zo was.

Manjula en ik zitten vaak in het restaurantje De Lage Vuursche in het gelijknamige dorp. Er komen daar voornamelijk oudere tot zeer oude mensen, en die mensen komen daar regelmatig. Ze worden er met respect behandeld en ze voelen zich er thuis. En ze horen nog even bij een stukje van de wereld buiten het bejaardenhuis. Ze hebben ook geen ambitie meer om een belangrijk iemand te zijn. Die fase is voor hen lang voorbij.

Wij komen daar graag. Manjula en ik horen nergens meer bij. Door mijn ziektes, door haar ziekte, door bepaalde keuzes die we gemaakt hebben, zijn we volstrekt op ons zelf aangewezen. Manjula heeft haar schilderclubje (bijna allemaal oudere mensen) en ik probeer contacten te leggen met mensen die misschien ooit zo vriendelijk willen zijn mijn muziek uit te voeren. Dat is het dan. Soms gaan we nog naar concerten, zodat we even 'in de wereld' zijn. Verder zijn we thuis en bijna iedere dag fietsen en wandelen we in het bos, waar we ook vrijwel alleen oudere mensen tegenkomen...

Let wel: ik hou van jonge mensen, zolang ze respect opbrengen voor hun omgeving. Jonge mensen kunnen erg mooi zijn. Sommigen blijven aardig en intelligent, ondanks het feit dat zij opgroeien in een nepcultuur, waarin het hebben van overbodig luxe speelgoed en het meedoen met de buitenkanterige lawaaimaatschappij hen wordt opgedrongen door commercie en leeftijdgenoten. En zij leven in een wereld waarin het pure gegeven van hun jong zijn als een verdienste wordt gepresenteerd. Dat is niet goed.

Want leven is een klus. Iedere dag is een klus. Vooral met het ouder worden. En binnen een paar tellen ben je niet meer jong, maar kom je er achter dat jij ook oud en gebrekkig bent. Want het gaat heel hard! En dan voel jij je op jouw beurt voor de gek gehouden omdat je er niet meer bij hoort. Oudere mensen verdienen respect, ze verdienen een aangenaam leven, net als iedereen. (stilte)

Vriend: Onzichtbaar.

Pari: Ja?

Vriend: De gedachte is bij mij opgekomen dat je als kind in de oorlog jezelf al getraind zou hebben onzichtbaar te zijn...

Pari: Ja, wie weet. Misschien ook vanwege het buigen. Wij moesten een paar keer per dag buigen voor de Japanse commandanten. Dan werden we in lange rijen gezet, langs de weg, ik geloof drie of vier rijen dik. In de bloedhitte. Iedereen moest daarbij present zijn. En dan kwamen de heren langs rijden in een paar open auto's. Bij een bepaald Japans bevel moest je dan buigen en bij een ander bevel weer overeind komen. En dat enige malen achter elkaar. Ik weet de woorden nog, al weet ik niet hoe je ze precies spelt. Kiree en nôree, buigen en overeind komen. Zo was de uitspraak. En dat deed je dan. Je boog (heel diep, anders werd je afgeranseld), voor de Japanse commandant. Soms werd er een kaalgeschoren Hollandse vrouw meegevoerd in één van die auto's. Als afschrikwekkend voorbeeld. Ik heb nooit geweten wat zo'n vrouw verkeerd gedaan zou hebben.

Als kind probeerden we wel eens om niet mee te buigen. Dan verstopten we ons achter de andere mensen en maakten we ons klein. Dat dat een link spelletje was, dat wist ik toen al. Toch kon ik soms de verleiding niet weerstaan. Mijn moeder wilde liever dat we maar gewoon meebogen.

Speciaal voor ons kamp had de Japanse kampleiding nog een afschrikwekkende methode bedacht: zo nu en dan werd er een aap losgelaten die mensen aanviel. Eén jongetje was z'n oor afgebeten door die aap. Tja, misschien heb ik mezelf daar wel aangewend om onzichtbaar te zijn - leek me dat een goede methode om te overleven. Het heeft allemaal met elkaar te maken, dat kan haast niet anders.

Aan mijn moeder had ik natuurlijk al het goede voorbeeld, wat betreft onzichtbaar zijn. Ik denk dat zij van nature al een stille vrouw is, die zichzelf wegcijfert. Maar misschien heeft zij zichzelf in het Jappenkamp ook wel verder gespecialiseerd in het onzichtbaar zijn...

In de laatste klas van de middelbare school kon ik me niet meer verstaanbaar maken van de ene kant van een kamer naar de andere. Ik had geen stem meer. Ik was dus ook onhoorbaar geworden. Toch had ik al een jaar eerder bedacht dat ik naar de toneelschool wilde. Dat is natuurlijk het verstandigste besluit geweest dat ik ooit heb genomen. Ik dwong mezelf terug te stappen in het leven. Me te laten zien en te laten horen.

Daarna moest ik in dienst. Hoe overleefde ik dat? Misschien hanteerde ik direct weer de truc van de onzichtbaarheid. Anders was ik toch niet tot 'beste soldaat van het peloton' uitgeroepen na de rekrutentijd? Dat vereist optimale onzichtbaarheid. Gehoorzaamheid, discipline, het totale opgaan in de exercerende (of buigende) massa.

Toen ik bij het Rotterdams Toneel kwam zat ik nog steeds gevangen in die rol van onzichtbare persoon. Ik was er niet, niemand zag me staan. Toch koos Fons me uit voor Twee Druppels. Of juist. Ik denk niet dat hij dat echt *geweten* heeft, maar ik vermoed dat hij mij ook heeft gekozen vanwege mijn vaardigheid om onzichtbaar te zijn. De blonde jongen. En daarnaast mijn al even merkwaardige vaardigheid tot het spelen van diens alter ego, de donkere en daadkrachtige en *zichtbare*. Manjula zei laatst: voor mijn gevoel had die dubbelrol ook met jou te maken, maar ik ben er niet precies achter hoe. De zichtbare en de onzichtbare, waarbij uiteindelijk, in *Twee Druppels*, na de oorlog, de zichtbare niet aanwijsbaar bestaan heeft, hetgeen weer tot de dood van de blonde jongen leidt, de onzichtbare. (stilte) Daarna werd ik door Fons voor niet-bestaand, onzichtbaar verklaard.

Ik heb mezelf wel geoefend om in het dagelijks leven zichtbaar te zijn. Maar ontelbare keren, op alle mogelijke verschillende plekken, heb ik gemerkt dat mensen geneigd waren dwars door me heen te lopen. In winkels, op straat, in de tram, in de schouwburg... Bij toneelgroep Theater in Arnhem was ik ook zeer onzichtbaar. Lastig voor een theaterdirectie. Alhoewel, je bent makkelijk te passeren. Steeds weer drong mijn onzichtbaarheid zich aan mij op, als een sluimerende tropenziekte waar ik nooit meer van af kom.

Ook toen de Nieuwe Komedie ophield te bestaan overkwam me dat. Ik ging dus maar weg. Ik heb nooit kunnen vechten voor een plek. Nog altijd is dat erg lastig. Ik kan mezelf niet 'verkopen'. Mensen moeten *zien* wat ik kan, en soms is dat ook gebeurd. Best vaak eigenlijk. Maar veel vaker zien mensen helemaal niets. Mensen die mij zien, die door mijn onzichtbaarheid heenkijken, zijn op de een of andere manier zielsverwanten.

Het is veel makkelijker wanneer een artiest zich presenteert met een duidelijk, solide, zelfverzekerd, opgesmukt ego. Daar kan je dan niet omheen, daar knal je tegenaan, dus dat zal dan wel goed zijn. Achter het opgesmukte ego zit meestal alleen lucht.

Ook wanneer ik regisseerde hadden sommige mensen last van

mijn gebrek aan wat men 'autoriteit' (ook een vorm van zichtbaarheid) noemt. Vrijwel alle regisseurs laten direct merken dat zij alles weten, overal verstand van hebben, aan alles hebben gedacht en dat ze jou wel even zullen vertellen hoe je je rol moet spelen. Voor de acteur is dat lekker makkelijk. Als regisseur neem ik een ander vertrekpunt in. Niet uit onzekerheid, want ik weet dat ik mensen kan helpen. Maar ik loop niet te koop met gepretendeerde kennis. Niet iedereen kan daar tegen. Sommigen worden erg onzeker en boos. Waarom? Omdat ik ze hun eigen verantwoording geef, hun eigen proces gun. Niet iedereen kan dat aan. (stilte)

Misschien heb ik wel het gevoel dat het nergens veilig is. Misschien *is* het wel nergens veilig. Voor mij niet in elk geval. Of misschien past veiligheid niet bij mij. 't Wordt wel steeds moeilijker. Ik wil dolgraag weer naar Australië, maar soms ben ik bang dat ik dat niet meer aan kan, met mijn moeilijke lichaam. Dat idee benauwt me. Ik wil daar zo graag wonen, thuis horen. Gek is dat hè? Ik spreek mezelf dus tegen. In elk geval heb ik niet het gevoel dat Nederland het land is waar ik per se thuis hoor. En dan zijn er hier in Nederland nog dingen die ik af wil maken, dat wel. Ik wil nog even doorgaan te proberen of ik iets met m'n muziek kan doen. Maar er komt een moment dat ik ook dat niet meer opbreng, het *leuren met je geesteskinderen*, zoals ik dat ergens in dit boek noem. Op een dag is het welletjes. Acht jaar geleden wilde ik al in Australië blijven, alleen nog in m'n tuin werken, m'n moestuin onderhouden, bomen planten, verder niet. Het is me niet gelukt daar te blijven. De regels zijn te streng. Toen ben ik 'van lieverlee' weer gaan componeren. Ook niet verkeerd, maar toch... Ik ben een zwerver. (stilte) *# 1*

Vriend: Waarom *Het Mysterietheater*?

Pari: Oh, ja... wij vonden dat een mooie naam. Alles wat mooi is in het leven is in wezen een mysterie. Een mooie vrouw, een mooi lied, een mooi schilderij, een mooie bloem, het ruisen van een beek, een wijd landschap... Alles wat mooi is, is niet te beredeneren, dus een mysterie. Nou ja – dat beantwoordt je vraag niet, maar voor ons had de keuze van die naam hiermee te maken, dat is duidelijk. Verder kan ik het niet verklaren... (stilte) Het had ook met Osho te maken, die naam. (stilte)

Vriend: Wil je nog iets zeggen over Osho?
Pari: Nee. Over Osho ben ik duidelijk geweest. Wanneer jij meer wilt weten zul je het avontuur moeten aangaan. De plons in het diepe maken. Je ideeën en je angst opzij zetten, voor een ogenblik. Begin maar es een boek van Osho te lezen, liefs in het Engels. Je kunt het ook niet doen, maar dan mis je de mooiste kans van je leven. Aan jou. (stilte) Waarover vind *jij* dat dit boek gaat?
Vriend: Over jou…
Pari: Ja, allicht, ook wel…
Vriend: En over mensen met wie je hebt gewerkt.
Pari: Kunt je er een paar noemen?
Vriend (denkt even na): Het meisje uit het toneelstuk *De Koning die niet dood kon*, Ada, ja, zij is mij het meest bijgebleven. Samen met de drie oude mensen.
Pari: Grappig. Ja, dat vind ik wel bijzonder.
Vriend: Ja, het kasteel, de sneeuw, het tuinhuisje... die vergeet ik niet meer... En meneer De Vries, je leraar Nederlands...
Pari: O ja?
Vriend: En het meisje dat de koning speelde in De Kikker, eh...
Pari: Marjan.
Vriend: Ja. De koning en de draak in het bos... En natuurlijk je liefje van de toneelschool, toen je in dienst zat.
Pari: Ida.
Vriend: Ja. Ida en de eenzaamheid.
Pari: Eenzaamheid?
Vriend: Ja… La Courtine, de Lijnbaansgracht... En de kleedster van het Rotterdams Toneel... Greetje?
Pari: Greetje, ja.
Vriend: En de toneelschooldirecteur, Binne, de pastelkleuren in de toneelschool...
Pari: Ach, Binne zelfs, Binne Groenier...
Vriend: En de blonde zangeres in de kerk, eh... Marie-Cécile Moerdijk, de engelen op de witte wolk... En je pianist Steven, het lied van Duparc over de zin van het leven... En Margot, in Australië, het afscheidsfeestje... Beantwoord ik daarmee je vraag?
Pari: Ja, met een soort omweg, geloof ik. (stilte)

Vriend: Waarover vind je zelf dat dit boek gaat?
Pari: Los van de onzichtbaarheid en alle anekdotes…Laten we zeggen: wat ik belangrijk vind om te zeggen... Wat echt belangrijk is laat zich niet makkelijk benoemen. Of verklaren. Waarom ontroert een melodie. Waarom ontroert het tweede pianoconcert van Rachmaninof. Omdat het vol zit met mooie melodieën en stromen, versnellingen en vertragingen, lieflijkheid en passie, een weelde aan akkoorden, kun je zeggen. Maar daarmee heb je het mysterie niet verklaard. Gelukkig maar. Waarom voel ik bij de één het hart en bij de ander niet? (stilte)

Veel mensen zijn waanzinnig mooi. (stilte)

Het leven is verschrikkelijk kort. Iedereen wil wel een aangenaam en rustig leven, en toch is het voortdurend een puinzooi, op allerlei plekken op de aardbol. Dat is schrijnend. Niemand wil dat en toch gebeurt het. Waardoor? Welke ideeën sleuren de mensen mee in haat en agressie? Mensen zouden daarover moeten nadenken, want het zou niet zo hoeven te zijn. De aarde zou een paradijs kunnen zijn. De aarde is bedoeld om een paradijs te zijn. Kijk maar om je heen: alles is aanwezig voor ons om in een paradijs te leven. Kijk naar de bomen, alle kleuren groen, de bloesem van de kastanje, de ongelooflijke kleuren van de rododendrons, daar moet je toch stil van worden... En zoveel mooie mensen…

Kijk in de ogen van de mensen. We moeten weer leren in elkaars ogen te kijken. Maar we hebben zo'n haast. Koortsachtig zijn we bezig steeds belangrijker te worden. Het leven duurt maar een paar seconden. En dan ga je dood en je hebt jezelf niet eens de tijd gegund om stil te staan bij iets moois. En al je belangrijkheid spat uit elkaar als een zeepbel.

Daar gaat dit boek over. Daar gaan alle mooie gedichten over - over hoe moeilijk het voor ons is bij iets moois stil te staan - en zo'n gedicht doet dat dan wel.

Of het vertelt ons hoe erbarmelijk onhandig we zijn om het leven een beetje aangenaam te laten zijn. Of een gedicht vertelt over alles wat we niet begrijpen. Ons eigen verdriet dat we niet begrijpen. (stilte) We houden niet eens van onszelf, we weten niet eens wie we zelf zijn. We rennen achter iets aan, vol met rare ideeën, geobsedeerd om iets te bereiken, ook al weten we niet wat, en als we hijgend bij de eindstreep staan hebben we geen idee wat we al die tijd hebben uitgevoerd, en waarom. En we zijn totaal vergeten te bedenken wie we eigenlijk zelf zijn, en waarom we hier eigenlijk zijn. We zijn geen moment stil geweest - hoe zouden we dan een ander mooi kunnen vinden? (stilte)

En het leven is toch zo kort. (stilte)

Over stilte gaat dit boek, uiteindelijk. Over het hart, en over stilte.

Baarn, mei 2002.
Annen, augustus 2013.

1 Tot mijn grote geluk ben ik na 2002 nog drie keer in Australië geweest, waarvan één keer, in 2006, opnieuw samen met Manjula, zes maanden. Lees in *BOEK II* hierover...

Dank

aan hen die mij hebben geholpen oude foto's op te diepen uit de krochten van het verleden, te weten:

mijn broer *Wouter Schoorel*,
Bob Kernkamp van het Gemeentearchief Wageningen,
Ramona Dumas van het Museum Drachten,
Jikke Sikkema, *John van Geffen* en *Theo Ykema*
van Tresoar te Leeuwarden,
filmhistoricus *Egbert Barten*
en
Audio Video Consult *Pim Verdonk* te Baarn.

Dank

aan *Manjula* voor haar geduld aan de computer en voor haar inzicht. Zonder haar steun en meeleven zou dit boek niet tot stand gekomen zijn.